LA MAISON DU CANAL

Georges Simenon, écrivain belge de langue française, est né à Liège en 1903. Il décide très jeune d'écrire. Il a seize ans lorsqu'il devient journaliste à *La Gazette de Liège*, d'abord chargé des faits divers puis des billets d'humeur consacrés aux rumeurs de sa ville. Son premier roman, signé sous le pseudonyme de Georges Sim, paraît en 1921 : *Au pont des Arches, petite histoire liégeoise*. En 1922, il s'installe à Paris avec son épouse peintre Régine Renchon, et apprend alors son métier en écrivant des contes et des romans-feuilletons dans tous les genres : policier, érotique, mélo, etc. Près de deux cents romans parus entre 1923 et 1933, un bon millier de contes, et de très nombreux articles...
En 1929, Simenon rédige son premier Maigret qui a pour titre : *Pietr le Letton*. Lancé par les éditions Fayard en 1931, le commissaire Maigret devient vite un personnage très populaire. Simenon écrira en tout soixante-douze aventures de Maigret (ainsi que plusieurs recueils de nouvelles) jusqu'à *Maigret et Monsieur Charles*, en 1972.
Peu de temps après, Simenon commence à écrire ce qu'il appellera ses « romans-romans » ou ses « romans durs » : plus de cent dix titres, du *Relais d'Alsace* paru en 1931 aux *Innocents*, en 1972, en passant par ses ouvrages les plus connus : *La Maison du canal* (1933), *L'homme qui regardait passer les trains* (1938), *Le Bourgmestre de Fumes* (1939), *Les Inconnus dans la maison* (1940), *Trois Chambres à Manhattan* (1946), *Lettre à mon juge* (1947), *La neige était sale* (1948), *Les Anneaux de Bicêtre* (1963), etc. Parallèlement à cette activité littéraire foisonnante, il voyage beaucoup, quitte Paris, s'installe dans les Charentes, puis en Vendée pendant la Seconde Guerre mondiale. En 1945, il quitte l'Europe et vivra aux Etats-Unis pendant dix ans ; il y épouse Denyse Ouimet. Il regagne ensuite la France et s'installe définitivement en Suisse. En 1972, il décide de cesser d'écrire. Muni d'un magnétophone, il se consacre alors à ses vingt-deux *Dictées*, puis, après le suicide de sa fille Marie-Jo, rédige ses gigantesques *Mémoires intimes* (1981).
Simenon s'est éteint à Lausanne en 1989. Beaucoup de ses romans ont été adaptés au cinéma et à la télévision.

Paru dans Le Livre de Poche :

LES COMPLICES
LE COUP DE LUNE
LA DISPARITION D'ODILE
EN CAS DE MALHEUR
L'ENTERREMENT DE MONSIEUR BOUVET
LES FANTÔMES DU CHAPELIER
LES FIANÇAILLES DE M. HIRE
LA FUITE DE MONSIEUR MONDE
LE GRAND BOB
L'HORLOGER D'EVERTON
LA JUMENT PERDUE
LETTRE À MON JUGE
LA MORT DE BELLE
L'OURS EN PELUCHE
LE PASSAGER CLANDESTIN
PEDIGREE
LE PETIT HOMME D'ARKHANGELSK
LE PRÉSIDENT
LES QUATRE JOURS DU PAUVRE HOMME
LE RELAIS D'ALSACE
STRIP-TEASE
TROIS CHAMBRES À MANHATTAN

GEORGES SIMENON

La Maison du canal

PRESSES DE LA CITÉ

1

Dans le flot de voyageurs qui coulait par saccades vers la sortie, elle était la seule à ne pas se presser. Son sac de voyage à la main, la tête dressée sous le voile de deuil, elle attendit son tour de tendre son billet à l'employé, puis elle fit quelques pas.

Quand elle avait pris le train, à Bruxelles, il était six heures du matin et l'obscurité était lourde de pluie glacée. Le compartiment de troisième classe était mouillé, lui aussi, plancher mouillé sous les pieds boueux, cloisons mouillées par une buée visqueuse, vitres mouillées, dedans et dehors. Des gens aux vêtements mouillés sommeillaient.

A huit heures, juste à l'arrivée à Hasselt, on éteignit les lampes du convoi et celles de la gare. Dans les salles d'attente, les parapluies perdaient des rigoles d'eau fluide qui sentait la soie détrempée. Autour des poêles, des gens se séchaient et ils étaient presque tous en noir, comme Edmée. Était-ce un hasard ? Le remarquait-elle parce qu'elle était en grand deuil ? Et le noir n'est-il pas l'uniforme des gens des campagnes ?

12 décembre. Le chiffre, en gros caractères, noirs aussi, à côté d'un guichet, la frappa.

Dehors, la pluie crépitait, les gens couraient, des silhouettes étaient collées à toutes les portes et les nuages rendaient le ciel si sombre que les boutiques gardaient leurs lampes allumées.

Juste en face de la gare, au milieu de la rue, il y avait un gros tramway vicinal peint en vert et noir. Il était vide. On ne voyait ni mécanicien, ni receveur. Un écriteau portait la mention *Maeseyck* et Edmée devait passer par cette ville pour se rendre à Neroeteren.

Sans rien demander, elle entra dans la première voiture qui était divisée en deux par une cloison vitrée. D'un côté, les banquettes étaient en bois et le plancher couvert de bouts de cigarettes et de crachats ; de l'autre, il y avait des coussins de velours rouge et un tapis par terre.

Edmée hésita, franchit la porte des premières classes et s'assit dans un coin, toute droite, releva le voile de crêpe qui lui couvrait le visage. Elle était très mince, très pâle, anémique comme des jeunes filles le sont à seize ans. Elle portait les cheveux tressés serré, roulés sur la nuque en un chignon dur.

Une demi-heure s'écoula. Des gens montaient en deuxième classe, surtout des paysannes chargées de paniers, et elles parlaient flamand à voix très haute, comme parlent toujours les Flamands. Parfois, après un regard à Edmée, qui était seule derrière les vitres, une femme chuchotait en hochant la tête en signe de pitié et d'autres regards se portaient sur la jeune fille.

La machine siffla. Le train roula à travers les rues de la petite ville mal éveillée. Les lampes des wagons s'allumèrent, peut-être par hasard, et on ne les éteignit pas du voyage.

La pluie, le voile d'Edmée, les gros châles noirs des commères, l'eau qui dégoulinait sur les planchers et les banquettes, tout se fondait en une grisaille lugubre. La terre labourée des campagnes était sombre, les maisons bâties en brique d'un brun sale. On traversa la région des charbonnages du Limbourg et des terrils défilèrent tandis que le vicinal traversait les corons.

C'était un vieux train qui secouait les voyageurs et chacun, sans le vouloir, dodelinait de la tête. Edmée comme les autres. Parfois les femmes échangeaient quelques phrases. A travers la cloison, on n'entendait rien, mais on voyait l'expression désolée des visages, les bouches qui s'ouvraient pour un soupir et les yeux vides qui, après chaque conversation, dévoraient la buée des vitres.

Le receveur entra en première, s'adressa en flamand à Edmée qui ne le regarda pas et se contenta de dire en tendant son argent :

— Maeseyck !

L'employé prononça encore deux phrases, mais elle détourna la tête. On s'arrêtait dans tous les villages, parfois même à la croisée de chemins où nulle maison n'existait. Des gens accouraient, des femmes qui troussaient leurs jupes et qu'il fallait hisser, essoufflées et rieuses, sur le marchepied. La trompette du receveur lançait un cri ridicule de jouet d'enfant. La machine sifflait.

Vers onze heures, des paysannes ouvrirent leur panier et en tirèrent des victuailles. A deux heures, on arriva à Maeseyck où le vicinal s'arrêta à côté d'un convoi tout pareil, sauf qu'il avait une voiture en moins et qu'il portait la mention *Neroeteren*.

Edmée ne s'informa pas de l'heure du départ, ne regarda rien, n'adressa la parole à personne. Comme elle l'avait fait à Hasselt, elle alla s'installer dans un coin du compartiment pendant que la plupart des voyageurs entraient dans les estaminets où on les voyait attablés devant du café chaud.

Le nouveau train ne partit qu'à trois heures et demie. C'était déjà le crépuscule. On traversa des bois et un canal tout droit, si droit et si long qu'il en était obsédant. La nuit était tombée quand, au milieu d'un village, le receveur cria :

— Neroeteren !

Edmée descendit, resta immobile au milieu de la rue, en face une épicerie dont l'enseigne était en flamand. Des gens s'approchaient du train, d'autres s'embrassaient ou s'éloignaient. Mais personne ne faisait attention à elle. Alors elle alla se planter sur le seuil de l'épicerie, à l'abri de la pluie, et posa son sac sur les marches.

Le vicinal repartait. La rue se vidait. Dans l'ombre, près des maisons sans étage, il y avait un grand cheval gris attelé à une charrette haute sur roues. Or, d'un point imprécis de l'attelage, se détacha sans bruit une silhouette trapue, sans cou, mais à la tête énorme que coiffait un béret détrempé, aux bras trop longs qui se balançaient gauchement.

L'être portait des sabots et des vêtements de paysan. Deux fois il passa devant Edmée sans la regarder, puis soudain, s'arrêtant à deux pas du seuil, il grommela :

— C'est vous qui venez aux Irrigations ?

— C'est moi.

— Je suis Jef.

Il disait cela sans oser la regarder et il hésitait encore à prendre le sac de voyage.

— Vous avez une auto ?

— J'ai la carriole.

Et, brusquement, il soulevait enfin le sac, fonçait vers la charrette haute sur roues, calmait de la voix le cheval impatient.

— Vous monterez bien toute seule ?

Edmée l'avait suivi, glacée et roide comme elle l'avait été toute la journée. Il mit le sac dans la voiture, se retourna, ne sut comment tendre sa main.

— Je crois que vous allez vous salir.

Elle grimpa d'un seul élan, se baissa pour pénétrer

sous la capote. L'instant d'après, assis à côté d'elle, il saisissait les rênes et excitait le cheval d'un mot flamand.

On vit encore deux ou trois lumières, puis plus rien que des sapins noirs aux deux côtés du chemin. Il y avait du vent. La capote se gonflait, laissait passer la pluie et il y avait des trous qui formaient robinet.

Edmée ne voyait pas son voisin. Il n'y avait dans l'espace qu'une lumière falote accrochée à un brancard de la voiture et qui projetait sur la boue un disque mouvant.

— Vous n'avez pas froid ?

— Merci.

Ce n'était pas une route, mais un chemin de terre aux ornières si profondes que deux fois Jef dut descendre pour aider le cheval en poussant aux rayons des roues. Il faisait froid. Edmée eut des frissons qui l'ébranlèrent jusqu'aux os. Et surtout c'était long, plus long que toute la journée passée dans le vicinal.

— C'est encore loin ?

— Il y a un quart d'heure que nous sommes dans nos terres.

Après le bois de sapins, ce fut une plaine basse, découpée en rectangles par des peupliers. Puis on monta un peu et on traversa le canal qu'Edmée avait déjà vu. Il était plus haut que les prés, retenu par des digues de terre. Tout au bout, il y avait une péniche.

— Vous n'avez pas faim ? Est-ce que vous parlez flamand ?

— Non.

— C'est dommage...

Il se tut pendant plusieurs minutes.

— ...parce que ma mère et mes deux plus jeunes sœurs ne connaissent pas le français.

Une fois, un cahot de la voiture fit tomber Edmée

sur l'épaule de son cousin et elle se redressa d'un mouvement angoissé.

— C'est là-bas !

Dans la plaine, parmi les rectangles de peupliers, pointait une toute petite lumière. C'était à une fenêtre de l'étage. En approchant, on devina des ombres derrière les rideaux. La voiture s'arrêta en grinçant devant une porte.

— Je vais vous conduire. On entre toujours par la cour.

Et laissant le cheval se diriger seul vers les écuries, Jef s'engagea dans un chemin, le long d'une haie qui égratigna Edmée au passage. Elle ne voyait plus rien. C'est à peine si elle distingua, comme il ouvrait une porte, une lueur rougeâtre. Au même instant une femme maigre et sèche, folle d'agitation, se jeta sur elle, la serra dans ses bras, la mouilla de ses larmes en criant des phrases flamandes.

Edmée ne bronchait pas, restait toute droite, voyait par-dessus l'épaule de la femme une cuisine éclairée seulement par le feu d'âtre. A plusieurs endroits, il y avait de menues silhouettes, des petites filles, assises sur des tabourets, qui regardaient fixement devant elles ou qui pleuraient.

Edmée faisait connaissance avec l'odeur : une forte odeur de lait suri, de lard et de bois brûlé.

La femme l'avait enfin lâchée et embrassait Jef en bégayant les mêmes phrases désespérées. La porte était restée ouverte. La nuit jetait dans la cuisine des rafales de pluie. Une bûche s'effondra.

— Papa !... murmura le garçon à grosse tête en regardant droit devant lui avec hébétude.

Puis, sans se tourner vers sa cousine :

— Papa est mort ! Juste au moment où vous arriviez...

Pendant trois jours, on vécut dans le désordre, dans la boue, dans les courants d'air de cette maison affolée où Edmée seule, calme et froide, observait tout.

Elle n'avait pas vu son oncle vivant et elle le regarda curieusement, sur son lit de mort, étonnée par ses longues moustaches rousses. C'est dans la chambre mortuaire qu'elle fit la connaissance de Fred, l'aîné de ses cousins. Il avait pleuré. Seules des bougies l'éclairaient et leur lumière mobile contribuait à déformer sa physionomie aux lèvres épaisses, aux cheveux drus, rebelles au peigne, gluants de cosmétique.

Fred avait vingt et un ans. Jef, qui avait amené sa cousine aux Irrigations, en avait dix-neuf. Ils avaient une sœur de dix-sept ans, Mia, qui, en bas, faisait manger les petites, car il y avait encore trois fillettes dont la plus jeune avait cinq ans.

Quant à la mère, on la voyait dans un coin ou dans un autre, tantôt avec Mia, tantôt avec Jef. Elle ne pleurait pas ; elle se lamentait d'une voix monotone, en flamand, et faisait les mêmes confidences désespérées à Edmée sans se rendre compte que celle-ci ne comprenait pas.

Dès le début, Edmée évita ces effusions. Comme ses cousines la regardaient avec une curiosité craintive, elle ne leur parla pas davantage. Elle avait faim et soif, mais elle ne demanda pas à manger et ce n'est qu'à huit heures du soir qu'elle mangea un bol de soupe.

La mort de l'oncle était accidentelle. Huit jours plus tôt, il avait reçu un coup de corne à la cuisse, d'une vache qu'on projetait depuis longtemps d'abattre. La plaie n'était pas profonde. Il avait boité trois jours, puis il s'était couché.

Quand le médecin avait enfin été appelé, il était trop tard. La gangrène avait gagné tout l'organisme.

Edmée ne le connaîtrait jamais. Mais il restait tous

les autres, avec qui elle vivrait désormais et qu'elle étudiait d'un regard sans bienveillance.

Sa mère était morte en lui donnant la vie. Son père, médecin à Bruxelles, après l'avoir gâtée pendant seize ans, venait de succomber à son tour. Elle était pauvre et son tuteur l'envoyait vivre chez l'oncle de Neroeteren, comme on disait dans la famille, un oncle qu'elle n'avait jamais vu et qui possédait des centaines d'hectares en Campine.

La famille de l'oncle grouillait autour d'elle, pleurait, s'agitait comme les fourmis d'une fourmilière qu'on vient de détruire. Pourquoi n'allumait-on pas les lampes ? C'était le plus oppressant, cette demi-obscurité qui noyait tout, tandis que les prunelles s'écarquillaient pour chercher les êtres dans la pénombre.

Le bureau seul fut éclairé par une lampe à pétrole coiffée d'un abat-jour rose. L'odeur indéfinissable de la maison y était pimentée par des relents de pipe et d'encre violette. Le cousin Fred, l'aîné, s'y installa, l'air appliqué, et rédigea des télégrammes. Parfois il entrouvrait la porte, demandait un renseignement à sa mère ou à son frère.

Ce fut Jef qui repartit, en pleine nuit, avec la carriole, et Edmée remarqua qu'il enfonçait dans ses poches des pommes de terre qu'il avait cuites sous la cendre et qui étaient encore fumantes. Mia mit les petites au lit, revint vers Edmée et récita comme un compliment :

— Voulez-vous, cousine, que je vous montre votre chambre ?

Une chambre éclairée par une bougie, avec un toit en pente et un lit très haut, surmonté d'un édredon trop gros. Pendant la nuit, il y eut encore des bruits dans la maison. Edmée entendit revenir la carriole. Quand elle se leva, il y avait en bas des gens qu'elle ne connaissait pas. Il y avait surtout un homme très grand, très fort, très calme, âgé d'une cinquantaine d'années, qui était plus distingué que les autres. Fred lui parla en flamand et il regarda Edmée.

— Ah ! c'est toi la fille de Bertha, dit-il sans lui tendre la main, ni l'embrasser.

Il l'examinait avec sympathie des pieds à la tête.

— Eh bien ! j'espère que tu t'entendras avec tes cousines. Cela fait deux morts dans la famille en une semaine.

C'était l'oncle Louis, de Maeseyck, le fabricant de cigares dont Edmée avait souvent vu le portrait dans l'album de photographies à Bruxelles. De toute cette partie de la famille, elle n'avait que des notions vagues qui prenaient des allures de légende. Sa mère était la sœur de la tante qui ne comprenait que le flamand et de l'oncle Louis, mais elle n'avait jamais vécu dans le Limbourg et, mariée à Bruxelles, elle parlait rarement de sa famille.

— Toi, tu es déjà en deuil, ajouta l'oncle, mais il y a toutes tes cousines à habiller.

Il les emmena à Neroeteren dans son auto, car il avait une voiture démodée où l'on pouvait tenir à dix. Edmée fut du voyage. On pénétra dans la cuisine d'une maison basse et on vit des poules sur le dossier des chaises. Une femme sèche, d'une cinquantaine d'années, travaillait à une machine à coudre. Elle se lamenta d'abord en apprenant la nouvelle, voulut embrasser les petites, y compris Edmée qui se raidit, et enfin prit des mesures, montra des échantillons de drap et des gravures de mode, toutes jaunies.

Dans la rue, d'autres vieilles vinrent embrasser les enfants et regarder Edmée avec curiosité.

L'oncle Louis dormit aux Irrigations. Le lendemain, on reçut de nouvelles visites et le surlendemain, enfin, la cérémonie eut lieu.

Maintenant Edmée avait vu la propriété sous la

lumière du jour. La maison était grande. Il y avait entre autres un vaste salon qu'on n'ouvrit que pour recevoir le curé et un monsieur de Maeseyck qui portait une pelisse.

Mais, ce qui dérouta Edmée, tout à côté de ce salon, il y avait un estaminet aussi pauvre que tous les estaminets de campagne. Elle devait comprendre plus tard que c'était une nécessité, car les rouliers qui avaient à faire dans la propriété ne pouvaient s'abreuver ailleurs. Or, il fallait plus de deux heures pour traverser les terres.

Des terres basses, plantées de rangs symétriques de peupliers. Par-ci, par-là, un bois de sapins tout noir. Enfin la ligne haute du canal où des péniches glissaient au-dessus des prés.

L'enterrement fut un événement mémorable. Dès huit heures du matin, il y avait autour de la maison plus de cinquante carrioles de tous modèles et une douzaine d'autos. Toute la nuit, Jef, dans le fournil, avait cuit du pain et, à la dernière minute, il se lavait et s'habillait de noir pendant que Fred recevait les gens. Quant à Mia, elle travaillait avec une vieille domestique dans la cuisine où le fourneau était couvert de marmites.

Les enfants étaient toujours dans le chemin. On les poussait tantôt dans un coin, tantôt dans l'autre. Tout le monde parlait flamand, tout le monde se lamentait, et les femmes répétaient en joignant les mains et en inclinant la tête sur l'épaule :

— Jésus, Maria !

Fred conduisait les hommes dans son bureau et leur offrait de la bière. Parfois on présentait Edmée à quelqu'un, en flamand, et les gens de dodeliner de la tête avec pitié.

Le curé arriva à neuf heures. Il pleuvait toujours, mais la pluie était plus fine que les jours précédents. Le cortège se forma. Tout le monde allait à pied, sous des parapluies, y compris le curé et les diacres dont les surplis d'un blanc cru voletaient dans la campagne comme des ailes de mouettes.

La rumeur des chants liturgiques et le clapotement des pas dans la boue moururent peu à peu et les femmes restèrent seules avec les enfants, n'ayant plus que la préoccupation du dîner. Un dîner de cinquante personnes ! On mettait des rallonges aux tables. On avait emprunté des chaises à Neroeteren. Mia sanglota deux fois parce que ses tartes aux pommes ne prenaient pas, mais la pâte durcit comme par miracle au dernier moment.

A Edmée était réservé le soin de dresser les couverts. Elle circulait, toute seule, autour de la table livide, dans le grand salon transformé. Enfin il fallut habiller la plus petite des cousines qu'on avait laissée au lit le plus tard possible.

A une heure seulement les hommes revinrent et on devina à leur haleine qu'ils s'étaient déjà désaltérés à l'auberge du village. Fred jouait au maître, faisait circuler le pot à tabac et les caisses de cigares.

Les femmes et les filles mangèrent à la cuisine, en se levant sans cesse pour surveiller quelque chose.

On servit du vin vieux et quand, vers quatre heures, Edmée entra dans le salon pour allumer les lampes, celui-ci était tout bleu de fumée. La plupart des convives, la chaise renversée en arrière, montraient des visages sanguins, colorés par le grand air et par un bon dîner, mis en valeur par des faux cols trop blancs.

Il régnait une atmosphère de bien-être, de cordialité, d'optimisme. Sur la table, parmi les assiettes sales transformées en cendriers, il n'y avait pas moins de dix caisses de cigares.

Edmée alluma trois lampes, tandis que la plupart des hommes suivaient des yeux sa silhouette maigre et nerveuse, puis elle regagna la cuisine où la tante racontait ses malheurs, en pleurant, à une vieille femme qui venait d'arriver.

A huit heures, le dernier invité partit, emmené par l'oncle Louis dans sa voiture, et la maison se trouva vide. Fred, les yeux luisants, les lèvres épaisses, fumait un dernier cigare en arpentant le salon en désordre. Il vit Edmée et lui lança :

— Un bel enterrement ! Toutes les notabilités y étaient, même le maire de Maeseyck !

Son regard suivait les lignes de sa cousine. Il bombait la poitrine et sa respiration était forte, car on avait vidé des cruchons et des cruchons de genièvre.

— Je crois qu'on s'entendra, tous les deux ! ajouta-t-il.

Il sourit, puis il entreprit de remettre les caisses de cigares sous clef, comme c'était la tradition.

Les invités étaient partis. Le mort était parti. Les filles et la servante commencèrent à laver la vaisselle, dans la cuisine, pendant que les autres, les pieds au feu, se remémoraient les détails de la cérémonie, le sermon du curé, le discours prononcé sur la tombe par le président du Syndicat des Cultivateurs.

La tante écoutait, se mouchait, pleurait un peu, puis questionnait à nouveau.

La vaisselle ne fut faite qu'à minuit et tout le monde alla se coucher, sauf Jef qui devait mener deux veaux à la foire de Rothem et qui attela le cheval gris, s'enfonça tout seul dans la nuit, avec les veaux qui, derrière lui, perdaient l'équilibre à chaque cahot.

2

On avait décidé qu'Edmée et Mia seraient de cette visite au notaire. Dès que les plus petites furent parties pour l'école, pareilles à des gnomes, avec leur capuchon noir et leurs sabots, Mia monta dans sa chambre pour s'habiller.

C'était une fille solidement charpentée, aux gros os, et qui, comme toute la famille, péchait contre la symétrie sans qu'on pût déterminer à coup sûr ce qui clochait. Les épaules étaient-elles exactement à la même hauteur et le nez tout à fait droit ? Le décalage était infime, mais suffisait à donner à Mia un aspect rustique, inachevé.

Elle se levait toujours la première, à cause des petites qu'elle devait habiller pendant que la servante allumait les deux feux de la cuisine, celui de l'âtre et celui du fourneau. C'était elle aussi qui coupait de grandes tranches de lard et qui, quand elles rissolaient dans la poêle, versait à la louche la pâte fluide de sarrasin.

Les garçons ne s'éveillaient que quand toute la maison était envahie par la chaude odeur de cette galette et, lorsqu'ils descendaient, les trois petites cheminaient déjà vers l'école dans la grisaille du jour à peine né.

Ce matin-là était exceptionnel. Chacun, dans sa chambre, s'habillait et la tante, dans le corridor, appelait pour qu'on agrafât son corsage de soie noire. Edmée vit entrer Mia chez elle, toute rose de s'être trop lavée, les cheveux tirés en arrière.

— Cousine, est-ce que ma coiffure est aussi bien ainsi ?

Elle avait des cheveux épais, d'un brun sans agrément.

— Très bien ! dit Edmée indifférente.

— C'est vrai ? Il ne faut pas dire oui pour me faire plaisir.

Une porte s'ouvrait sur le corridor. On apercevait Fred, rouge aussi, les cheveux cosmétiqués de frais, la poitrine raidie par une chemise blanche à plastron. Il était en colère. Il jeta vers Mia un faux col maculé et lui fit des reproches en flamand. Elle répondit avec la même véhémence et bientôt éclatait une dispute en règle. Mia refusait de faire quelque chose. Fred insistait. Brusquement il donna à sa sœur une gifle si vigoureuse qu'elle en eut la respiration coupée et resta un bon moment sans pleurer.

Alors elle arracha sa robe, ramassa le faux col et descendit ainsi, en combinaison, tandis que son frère rentrait chez lui.

Quand Edmée descendit à son tour, Mia était dans la cuisine, toujours en combinaison rose, occupée à repasser un autre faux col.

On prit la voiture à quatre roues, qui comportait deux banquettes face à l'avant. Jef attela, habillé de neuf comme les autres, sa grosse tête rendue plus grosse et plus rude par le contraste d'un faux col de celluloïd et d'une casquette de cheviotte noire qui ne lui allait pas. Mais ce fut Fred qui prit les rênes. Sa mère s'assit à côté de lui, gênée par son voile et par ses gants, et durant la route elle ne dit pas un mot, ne fit pas un mouvement.

La pluie des derniers jours avait cessé. Les vents s'étaient mis au nord-est et c'était une autre lumière, plus dure, d'un blanc lumineux et froid, qui sertissait le paysage.

— Avant huit jours, nous aurons de la neige, annonça Fred en se tournant vers sa cousine.

On sentait l'hiver proche. Le bout des doigts était glacé dans les gants et chacun se mouchait sans cesse. On traversa Neroeteren, qui n'est qu'un petit village au bord du canal, un village flamand aux maisons basses et sombres, aux routes pavées de pierres pointues.

Partout le terrain était aussi plat et, à part quelques bois de sapins, il n'y avait qu'un seul arbre, le peuplier, qui découpait le paysage en rectangles.

A Maeseyck, devant la maison du notaire, la tante prit le bras de Fred. L'oncle Louis était arrivé. On le trouva dans le salon, fumant un cigare et dégustant un petit verre de schiedam, tandis que le notaire, replet et amène comme un chanoine, le traitait avec une considération marquée.

Edmée remarqua que l'oncle portait des souliers fins, en chevreau, et que son costume était bien coupé. Il parlait avec l'assurance d'un homme habitué à être écouté.

C'est en flamand aussi que se déroula l'entretien qui suivit, à part quelques mots français qui venaient renforcer une phrase.

Le salon faisait penser au parloir d'un couvent, tant les meubles étaient astiqués, tant tout était propre et luisant. On se voyait dans l'acajou de la table. Au mur, il y avait deux grandes photographies de prêtres, les deux fils du notaire.

Celui-ci lisait des documents, sans se presser, en regardant parfois l'oncle pour s'assurer qu'ils étaient d'accord. Fred écoutait attentivement, se faisait parfois répéter une phrase tandis que Jef, indifférent, étirait sa casquette.

La mère était absente, comme dans la voiture, comme chez elle. Elle avait la faculté de s'abstraire de tout ce qui l'entourait, de se neutraliser et, dès lors, elle restait ainsi des heures s'il le fallait, toute droite, un sourire triste et poli aux lèvres. Personne n'eût pu décrire les traits de son visage. On ne voyait qu'un ensemble effacé, des yeux pâles, dociles, et ce sourire qui donnait raison à tout le monde.

Edmée, qui ne comprenait rien à ce qui se passait, regardait surtout Fred et Jef, les comparait, notait de petits détails, comme une cicatrice qui coupait la lèvre inférieure de Jef et l'emplâtre qui, au cou de Fred, devait cacher un furoncle. Est-ce que ce furoncle n'était pas la cause du drame du col et de l'absence de Mia ?

Il y eut entre les hommes des palabres sans fièvre. Des papiers passèrent de main en main. Chacun se leva enfin pour signer, même Jef qui ne savait comment tenir son porte-plume. Quant à Fred, il était si satisfait qu'Edmée comprit qu'un changement s'était produit dans sa situation.

On déjeuna chez l'oncle Louis, qui vivait seul avec sa femme, une belle Flamande de cinquante ans, douce et grasse, aux cheveux tout blancs. La maison était aussi propre mais plus riche que celle du notaire. A table, Fred expliqua à Edmée :

— Les affaires de la succession sont arrangées. Mon père, qui ne voulait pas que la propriété fût partagée, a demandé par testament à mes frère et sœurs de renoncer à leur part. Moi, de mon côté, je m'engage à leur faire une situation.

Jef était-il plus sombre que d'habitude ? On n'eût pu le dire, tant ses vêtements neufs le changeaient dans le sens du grotesque.

On mangea des pigeons, Edmée s'en souvint par la suite, sans raison. A la fin du dîner, la tante pleura encore un peu, puis on regagna la voiture. Au retour, comme à l'aller, ce fut le silence, tandis que la nuit tombait et qu'Edmée frissonnait sous son manteau trop mince. Après Neroeteren, on rencontra les petites qui s'en revenaient de l'école. Il n'y avait pas de place pour elles dans la voiture et on dépassa les trois silhouettes encapuchonnées qui gravitaient dans l'immensité vide du décor.

Une surprise attendait Edmée. Ses bagages étaient arrivés. Ce n'étaient pas des bagages à proprement parler, mais des choses hétéroclites qu'on avait décidé de garder après la mort de son père, tandis que le reste, sur les conseils du tuteur, était envoyé à la salle des ventes.

On mangea d'abord. Le soir, c'était toujours le même menu : de la soupe et des pommes de terre arrosées d'une sauce au petit-lait qui, dès six heures, emplissait la maison de son odeur sure. Ce fut Fred qui alluma la lampe du salon où on avait déposé caisses et malles.

— Je vais te donner un coup de main, dit-il.

Les autres s'étaient déjà débarrassés de leurs vêtements neufs, mais lui gardait son pantalon noir, sa chemise empesée, son col à pointes cassées. Quand la première caisse fut ouverte, tout le monde fut autour, même la tante, même Mia qui affectait de se tenir loin de Fred.

Les objets empilés à Bruxelles, dans la maison en désordre, émergeaient tour à tour, mais dans une atmosphère si différente qu'ils prenaient un autre visage. Un portrait de la mère d'Edmée était encadré de velours grenat. Mia le regarda longtemps, dit avec conviction :

— Elle était belle !

Elle était surtout différente de ceux qui étaient là ! Comme Edmée ! Un visage très fin, un cou long, flexible.

— Quelle jolie robe ! ajouta Mia.

Et, dès lors, ce fut à chaque objet un concert d'exclamations. Fred fut surtout intéressé par la trousse chirurgicale du père d'Edmée que le tuteur, Dieu sait pourquoi, avait mise dans les bagages. De ses gros doigts, il maniait les instruments précis, polis comme des bijoux.

— Que vas-tu en faire ?

Ses yeux brillaient de convoitise. Il n'en ferait rien non plus, mais on sentait qu'il avait du plaisir à toucher les aciers couchés dans leur écrin de velours noir, qu'Edmée reprit d'un geste décidé, sans répondre.

Une petite boîte contenait des bagues en or, de vieux bijoux sans valeur dont les ornements les plus riches étaient des rubis. Mia essaya une de ces bagues et, du même geste, avec la même indifférence, Edmée la lui reprit.

Aux yeux de ses cousins et cousines, elle devenait un être exceptionnel et Mia, qui repoussait les petites, était aussi avide de voir et de toucher que les autres, surtout quand on déploya les robes. Il y en avait une en satin bleu ciel, à petits volants, qu'Edmée avait étrennée l'année précédente à la distribution des prix. On voulait la lui faire essayer.

— Plus tard, quand je ne serai plus en deuil !

Qu'y avait-il encore ? Une trousse de voyage avec ses flacons en cristal, un dessus de piano brodé à la main, une coupe en bronze qui devait être un cadeau. Dans une caisse, on trouva de gros livres de médecine pleins de planches anatomiques en bleu, rouge et jaune.

— Que vas-tu faire de cela ? questionna Fred.

— C'est à moi !

— On pourrait les mettre dans la bibliothèque.

C'était, dans son bureau, un meuble qui ne contenait que les prix des enfants, des livraisons, de vieux magazines et quelques ouvrages dépareillés.

— Non ! je veux les avoir dans ma chambre.

La tante intervint, dit en flamand :

— Laisse-la faire, Fred !

Edmée remettait tous ces objets à leur place dans les caisses et dans les malles. Pourtant, elle fit quelques dons, mais froidement, en prenant le temps de réfléchir. A Mia, elle donna un livre de messe d'où s'échappaient des images religieuses et, comme il y en avait trop, elle partagea la moitié des images entre les petites.

— Je veux avoir tout dans ma chambre, décida-t-elle en terminant.

Jef, dans un coin, ramassé sur lui-même, taillait un morceau de bois. Elle l'appela.

— Tu monteras mes bagages, Jef ?

Et elle sourit de son empressement, de sa gaucherie. Cette nuit-là, Mia dut rêver de la robe de satin bleu et des bagues de la petite boîte.

Le lendemain, Fred annonça qu'il allait à Hasselt et peut-être à Bruxelles pour affaires. Edmée n'avait pas connu son oncle vivant, mais elle sentait que Fred avait pris sa suite et que tout le monde, du jour au lendemain, le traitait comme on avait traité le père.

C'était surtout sensible chez la tante, dont la docilité proclamait que Fred, désormais, était le maître. Personne ne lui demanda d'explication sur son voyage. Mia lui repassa trois chemises et l'aida à s'habiller. Jef attela le cheval gris. Enfin, au moment du départ, Fred donna des instructions à chacun pour le soin de la propriété. Celle-ci était un vaste polder. Les terrains sablonneux, plus bas que le niveau de la mer, étaient entourés de digues et une multitude de canaux, séparés par des vannes qu'on ouvrait et fermait à volonté, permettaient d'en inonder telle ou telle partie.

On faisait pousser quelques betteraves pour le bétail. Il y avait une trentaine de vaches, des poules, des oies et des dindes. Mais la production principale, la raison d'être des Irrigations, c'était le foin, qui, au printemps, remplirait des trains entiers.

A la maison, il n'y avait qu'un vieux domestique et sa femme, logés dans une cabane près des étables. Dans les terres, de distance en distance, d'autres cabanes s'élevaient, celles des gardes, qui avaient leur secteur et qui, chaque samedi, venaient aux ordres et à la paie.

Dans l'aigre lumière de décembre, ces prairies semblaient s'étendre à l'infini et, coupant la propriété en deux, le canal tout droit ajoutait à la sévérité du décor en y introduisant une géométrie implacable.

Jef revint vers dix heures du matin de Neroeteren, où il avait conduit Fred au vicinal. Edmée le vit dételer, puis prendre quelque chose dans la voiture et se diriger vers un bâtiment bas qui se dressait au fond de la cour. C'était, tout à côté du fournil, une construction irrégulière, qui avait dû servir de remise et qui contenait encore quelques fagots, une faux, un tabouret et des cordages. Edmée y entra peu après son cousin, qu'elle trouva accroupi, lui tournant le dos, devant un feu de pommes de pin.

— Que fais-tu ? questionna-t-elle.

Il eut d'abord l'intention de lui cacher ce qu'il avait à la main, puis il changea d'avis, s'effaça. Et alors elle aperçut, sur les pierres poussiéreuses du sol, un petit cadavre d'animal qui venait d'être ouvert d'un coup de couteau.

— Qu'est-ce que c'est ?

— Un écureuil.

Il lui désigna un des murs, jadis crépi à la chaux.

Tendues sur des planchettes, il y avait une vingtaine de peaux, pattes écartées et maintenues par des clous, la longue et belle queue pendante.

— Qu'est-ce qu'on en fait ?

Il haussa les épaules, retira avec son couteau une pomme de terre qui cuisait sous la cendre.

— Rien. Je ne sais pas.

— Il y en a beaucoup ?

— Ce matin, j'en ai vu deux, mais j'en ai raté un.

Elle était debout, lui accroupi, et elle regardait de haut en bas, raidie par une sensation nouvelle, par une angoisse qui lui chavirait la poitrine et que pourtant elle ne voulait pas dissiper en s'en allant.

— Continue !

Il reprit son couteau pour dépouiller la bête. Avec la pointe, il faisait jaillir les entrailles. Ses grosses mains étaient barbouillées de sang. Edmée ne bougeait toujours pas mais, quand la peau commença à glisser, découvrant une autre peau très fine, bleuâtre, elle dut s'appuyer au chambranle de la porte.

Jef ne bronchait pas. Ses traits irréguliers gardaient leur immobilité. Il portait un vieux costume, une chemise sans faux col, des sabots et, tel quel, il était moins laid que dans ses habits neufs.

— Tu ne veux pas une pomme de terre ? Ça réchauffe !

Il lui en tendit une, de sa main qui venait de fouiller le cadavre, et Edmée la prit, sans savoir elle-même pourquoi. Elle était écœurée et pourtant elle surmonta son écœurement, frissonna en voyant un peu de rouge sur la pelure cendrée. Sans la regarder, Jef clouait une première patte à l'angle de sa planchette. Ses cheveux étaient si près des flammes qu'une mèche grésilla.

Les prunelles fixes, Edmée mordit soudain dans la pomme de terre. Cette bouchée, elle la garda sur la langue, mais en même temps elle rejeta le reste avec un cri de rage et courut jusqu'à la maison, avec la même impression d'angoisse que la nuit, dehors, quand la peur vous étrangle soudain et vous force à fuir un danger invisible.

Ce fut dans la cuisine seulement qu'elle cracha le morceau de pomme de terre. Mia, qui cousait près de la fenêtre, la regarda avec étonnement.

— Qu'est-ce que tu as ?

— Rien !

Elle ne voulait pas parler. Elle était furieuse ! Elle s'assit près de la cheminée et, le menton sur les coudes, elle resta immobile, à regarder le feu tant que les prunelles lui brûlassent.

Cette émotion qu'un instant elle avait violemment ressentie se prolongeait en elle par ondes décroissantes, à la façon des rides sur l'eau. Il y avait des frissons subits entre lesquels elle se ramassait sur elle-même pour offrir moins de prise, serrait les coudes, croisait les jambes.

Puis, quand fut passé le dernier sursaut, plus faible que les autres, elle évoqua l'écureuil, crut qu'elle allait frémir encore, mais retomba dans une morne prostration.

Elle ne prononça pas un mot jusqu'au dîner, qui avait lieu à midi. A table, elle leva les yeux vers Jef, qui ne s'était même pas lavé les mains.

— Dis, Jef, tu me donneras les peaux pour en faire un manteau ?

— Il n'y en a pas assez.

— Tu en trouveras d'autres !

— Des peaux de quoi ? s'enquit Mia.

— Des peaux d'écureuil.

— On ne fait pas de manteaux avec des peaux d'écureuil.

Et Edmée, toute pâle, crispée, tournée vers elle :

— Et si je veux, moi, un manteau d'écureuil ?

La tante, qui ne comprenait pas le français, les regardait mollement, semblait toujours s'attendre à un malheur et se faisait aussi humble que possible, en esquissant un pâle sourire pour désarmer le sort.

Elle avait eu neuf enfants, dont trois étaient morts. Elle n'avait que quarante-cinq ans et elle était toute plate. Timidement, elle demanda à Jef ce que disait sa cousine et quand on lui parla du manteau d'écureuil elle sourit en adressant à Edmée un sourire approbateur.

On dînait sans nappe. Jef s'affalait, les deux coudes sur la table, et avalait coup sur coup trois assiettées de soupe. A midi, les petites ne rentraient pas, mais mangeaient des tartines à l'école.

— Tu ne couds jamais ? demanda Mia pour rompre le silence.

— J'ai horreur de ça !

— Ici, il y a toujours à coudre. Maintenant, je fais des tabliers.

Edmée la regarda durement, car elle devinait le fond de la pensée de Mia. Qu'allait-elle faire, elle, si elle ne cousait pas et si elle n'aidait pas à la cuisine ?

— Je veux étudier la médecine, comme mon père.

— On n'étudie la médecine qu'à l'université et il n'y en a pas à Neroeteren.

— J'étudierai toute seule ! J'ai ce qu'il me faut.

Elle était si catégorique que personne n'osa insister. Pour prouver qu'elle ne parlait pas en l'air, elle monta dans sa chambre, sitôt le dîner fini, revint avec un des gros livres, s'installa près de la cheminée. La tante lava la vaisselle et Mia, près de la fenêtre, se remit à coudre.

Le ciel était de plus en plus un ciel de neige, blanc certes, mais d'un blanc équivoque. Des filets d'air froid pénétraient par les fentes des portes. Jef, la casquette sur la tête, taillait un bout de bois.

— Qu'est-ce que tu vas faire avec ça ?

— Un nouveau truc pour attraper les lapins.

— Explique !

— Je ne peux pas. Tu viendras voir.

Elle avait ouvert le livre de médecine au hasard et elle avait sous les yeux une planche qui représentait un estomac de cancéreux. Elle n'avait pas envie de lire, ni de regarder. Mais elle ne voulait pas laver la vaisselle, elle ne voulait surtout pas coudre, comme Mia, des tabliers en cotonnette à petits carreaux rouges.

— Je vais voir si la grande vanne est réparée ! dit Jef en poussant la porte.

Edmée eût bien voulu le suivre, mais elle était vexée qu'il ne l'y eût pas invitée. Elle feignit de se plonger dans sa lecture. Des mots passaient devant ses yeux sans qu'elle en réalisât le sens. La chaleur du feu de sapin la pénétrait, cuisait ses jambes et faisait monter le sang à ses joues. La tante rangeait les assiettes dans l'armoire et Mia, de temps en temps, tirait sur la cotonnette roide.

Quand la table fut complètement desservie, la tante alla chercher son ouvrage, un châle en tricot, et prit place en face d'Edmée, de l'autre côté du foyer. Elle ne pouvait pas parler à sa nièce. Alors, quand elle levait les yeux, elle esquissait un petit sourire triste et encourageant, puis disait une phrase ou deux à Mia, qui répondait d'une drôle de voix parce qu'elle avait des épingles entre les lèvres.

Les flammes faisaient un bruit régulier qui devenait un ronron persistant et dehors le vent de nord-est déferlait sur la propriété immense, courbait dans un même angle tous les peupliers.

Edmée ne tournait pas les pages. Elle pensait à l'écureuil, elle faisait exprès d'y penser, mais elle ne parvenait pas à retrouver le frisson du matin, ni les vagues étranges qui, en elle, étaient allées en s'atténuant, jusqu'à n'être plus qu'une imperceptible rétraction des muscles.

3

C'était le 31 décembre. Depuis trois jours, le ciel était plus sombre que la terre car l'univers, depuis la maison jusqu'à l'horizon, était couvert de neige. Ce matin-là il ne neigeait plus mais on avait trouvé au réveil les vitres couvertes d'arabesques de glace.

Les fillettes, qui étaient en vacances, étaient assises par terre, près du feu, et échangeaient des chiffons en prononçant des phrases graves. Bertha, qui avait douze ans, aidait sa mère à faire les gaufres de nouvel an. Il y avait déjà plus de deux heures que, sans répit, on remplissait les moules de pâte sucrée et de temps en temps quelqu'un comptait avec satisfaction les gaufres qui refroidissaient sur des claies.

Edmée avait garni le moule, elle aussi, pendant dix minutes, puis elle s'était lassée. Elle allait et venait dans la cuisine sans se fixer. Quand elle se rapprochait du poêle, elle recevait une bouffée chaude au visage. Dès qu'elle marchait vers la porte ou les fenêtres, un air glacé qui filtrait par les jointures l'atteignait.

Mia, qui était en haut, occupée à faire les chambres, cria dans l'escalier :

— Edmée !

Ce ne fut pas dans sa chambre, mais dans celle de Fred qu'Edmée la trouva, mystérieuse et surexcitée.

— Fred est toujours au bureau ?

Depuis le matin, enfermé dans son bureau, il remplissait de vœux des lettres et des cartes de visite.

— Regarde !

Elle brossait le plus beau complet de son frère et elle y avait trouvé une photographie qu'elle tendit à Edmée. Le portrait était fait par un photographe de petite ville. Le fond était grisâtre, avec une colonne de carton. Au premier plan, une femme souriait, le petit doigt sous le menton. Elle était encore jeune mais grosse et vulgaire. Elle avait surtout une poitrine abondante qui tendait un corsage de soie claire.

— C'est pour cela qu'il va si souvent à Hasselt, expliqua Mia en pouffant de rire.

— Elle est laide, dit froidement Edmée qui rendit le portrait à sa cousine.

— Je ne trouve pas. Fred n'en a jamais de laides et il en a autant qu'il veut.

La chambre ressemblait à toutes les chambres de la maison, hormis des objets comme une pipe, une canne, des vêtements qui pendaient et qui précisaient que c'était une chambre d'homme. Mia y vivait à l'aise, brossait maintenant un pantalon au fond déjà luisant d'usure tandis qu'Edmée ressentait une répulsion instinctive, respirait les narines pincées parce qu'il lui semblait que cela sentait l'homme.

— Elles sont toutes amoureuses de lui, affirmait Mia émerveillée. Il y en a une, à Neroeteren, la fille du boulanger, qui vient presque tous les dimanches se promener jusqu'ici rien que pour l'apercevoir. Tu l'as déjà vue. Celle qui a de gros seins...

Edmée ne s'en allait pas et pourtant quelque chose, dans l'atmosphère, la choquait. Est-ce que, comme Mia le prétendait, elle avait pris Fred en grippe ? Depuis qu'elle était arrivée, il s'était déjà rendu trois fois à Hasselt et chaque fois il y couchait, revenait avec un air triomphant. Il ne s'occupait guère d'Edmée. Des femmes, il en voyait ailleurs tant qu'il en désirait. C'était un sensuel aux lèvres épaisses, aux yeux brillants, au sang chaud, visible sous la peau, et Edmée, sans le vouloir, évoquait Fred chaque fois que, dans ses livres de médecine, elle lisait, la poitrine serrée, des articles sur l'accouplement.

— Il n'y a pas à dire, c'est un bel homme ! concluait Mia en rangeant les effets de son frère.

— Je ne trouve pas. Moi, il me dégoûterait. D'ailleurs, il est déjà trop gros.

Pas tellement gros, mais épais, luisant, d'une matière trop drue, qui suait et qui sentait le mâle.

— Qui est-ce qui arrive ?

On entendait quelqu'un poser son vélo contre le mur, dehors, puis un murmure de voix. Mia ouvrit la porte, tendit l'oreille et s'écria :

— Vite ! On patine...

La nouvelle était apportée par un valet de ferme qui venait pourtant du côté opposé à l'endroit où l'on patinait. Cinq minutes plus tard, tout le monde s'agitait dans la cuisine. Fred lui-même avait abandonné ses cartes de nouvel an. Jef tirait un lourd traîneau vert de la remise. On ne pensait plus aux gaufres, ni au froid. Les portes ouvertes et fermées créaient des courants d'air.

Tous les enfants se tassèrent dans la carriole et des lèvres de chacun s'échappait un petit nuage de vapeur. Les joues gercées étaient rouges. Les gamines, malgré l'étroitesse de la voiture, chaussaient déjà leurs patins, des patins hollandais en bois, à la lame mince et basse.

Il y avait, dans la façon dont la nouvelle avait été apportée et dans la fièvre qui avait suivi, quelque chose de grisant. Jef fouettait le cheval qui remuait la tête. Les roues arrachaient des mottes de neige qui voletaient aux deux côtés de la voiture.

Parfois, du ciel tout gris, tout uni, un flocon oublié

tombait encore et Edmée en reçut un sur son châle noir. Car, faute d'autres vêtements, elle avait dû adopter la tenue de ses cousines : un gros châle de laine, dont on ramenait les deux bouts en arrière pour les nouer sur les reins, ce qui gonflait le torse, le rendait disproportionné d'avec le reste du corps.

Seule Mia avait un châle rouge qu'il avait fallu teindre et qui était devenu violacé. C'était la tante qui les attachait tous. Tour à tour elle s'approchait de ses filles, faisait le nœud avec les bouts. Mais Edmée, à peine dehors, dénouait le châle et le portait négligemment à l'espagnole.

— Tu n'as pas froid ? questionna Mia.

— Non.

La peau était tendue. Les yeux piquaient. Un peu avant d'arriver au village, on aperçut un pré de plusieurs hectares. La semaine précédente, il avait été recouvert de dix centimètres d'eau qui était gelée et qui formait une vaste patinoire, déjà grouillante de monde.

Tous les enfants, garçons et filles, de Neroeteren étaient là ; presque tous avec des châles noués. La plupart patinaient, mais certains avaient des traîneaux bas, de simples caisses montées sur deux lames de fer ; ils s'y accroupissaient et se poussaient avec deux piques comme des culs-de-jatte.

La voiture à peine arrêtée, ce fut un envol. Il ne resta que Jef et Fred pour débarquer le traîneau. Puis Jef, chaussé de patins, se précipita à son tour sur la glace, si fort et si vite que c'était un miracle qu'il ne renversât pas les enfants comme des quilles.

— Tu veux l'essayer ?

Edmée, qui ne savait pas patiner, prit place dans le traîneau. Un vrai traîneau, celui-ci, comme celui qu'elle avait vu sur le chromo qui garnissait, chez elle, une boîte de cacao hollandais. Mais, sur la boîte, la passagère était vêtue de fourrures, avec un gros manchon sur les genoux, et son cavalier était coiffé d'un bonnet de loutre.

Ce furent des minutes d'exaltation. On allait très vite. Edmée ne voyait pas Fred qui était derrière elle, mais elle entendait sa respiration forte. Jef, soudain, fonça sur eux, vira juste à temps, fit deux fois, sur un seul pied, le tour du traîneau en marche et repartit avec un sourire qui lui ouvrait la bouche jusqu'aux oreilles, une bouche si grande que, quand il riait de la sorte, on avait l'impression qu'il avait deux fois plus de dents que les autres.

— Je ne suis pas trop lourde ? minauda Edmée.

Fred, à cause de la vitesse, ne l'entendit pas. Deux fois, trois fois, on passa près d'une grande fille qui patinait prudemment. C'était la fille aux gros seins, dont Mia avait parlé le matin, et Edmée vit qu'elle regardait le traîneau avec envie. C'était le seul traîneau de ce genre dans le pays. Il y avait cinquante ans au moins qu'il était aux Irrigations. Tout le monde le connaissait.

— Tu es fatigué ?

Fred s'arrêtait, s'épongeait, car, malgré la température, il avait le visage ruisselant de sueur. Et même il fumait comme un liquide chaud, dégageait de la buée.

— Tu m'attends un instant ? Je fais faire un tour à une jeune fille.

Elle se retourna. La fille du boulanger était là, avec ses yeux tout ravis de contempler Fred de près. Edmée, sans un mot, descendit, traversa prudemment la glace, puis resta plantée au bord de la patinoire, scrutant celle-ci d'un regard aigu.

Jef passa, repassa, toujours aussi vite, toujours avec cet air d'attaquer quelque chose.

— Jef ! lui cria-t-elle la quatrième fois qu'elle le vit.

Il s'arrêta net dans un virage, vint à sa cousine qui

était livide de froid et d'énervement. D'une voix mate, coupante, de sa voix de petite déesse qui n'a jamais été contredite, elle prononça :

— Je veux aller aux écureuils !

Il regarda la piste, le bois de sapins qui la bornait au nord.

— Nous n'avons pas de chien...

— Je t'aiderai.

Il avait une petite goutte trouble au bout du nez et ses narines se dilataient à chaque aspiration.

— Comme tu voudras.

C'était la cinquième fois qu'ils allaient ensemble à la chasse aux écureuils. Chaque fois Edmée l'avait demandé. Chaque fois aussi elle restait toute raide quand elle voyait la bête morte et elle rentrait à la maison sans dire un mot.

Jef mit ses patins en poche. Dans le bois, il coupa un bâton et commença à errer à la recherche d'un écureuil. Edmée ne le regardait pas, mais fixait le champ de glace où le grand traîneau évoluait toujours. Elle avait froid. Elle savait qu'elle commettait une imprudence en laissant son châle ouvert, mais cela lui était égal.

Fred n'aimait que les grosses filles ! Et les gros seins ! Et des visages comme celui de la boulangère, aux yeux ronds et bêtes, aux lèvres très rouges, au petit nez ridicule !

— Hep !...

Jef dut répéter trois fois son appel avant qu'elle vînt l'aider. Car elle connaissait la tactique. Dès qu'un écureuil était repéré dans les sapins, son cousin frappait le tronc des arbres de son bâton afin de diriger la bête vers un terrain découvert. Là, acculée, elle quittait soudain l'abri du bois et Jef, lançant son bâton, l'atteignait presque toujours et lui cassait les reins.

Edmée accourut, pour couper la retraite à l'écureuil. Mais c'était déjà fini. Le bâton volait en l'air, retombait. Il y avait un drôle de bruit. Jef bondissait en avant et saisissait dans la neige une chose brune et grouillante.

— Il l'a reçu sur le museau, dit-il.

Cette fois, et c'était la première, Edmée s'approcha pour voir de près. Le bâton avait cassé le museau de la bête qui était maintenant de travers, presque pendant, et qui saignait. L'écureuil vivait encore, se débattait tandis que les doigts de Jef, pressant sur la gorge, l'étranglaient peu à peu.

— Donne-le-moi !

C'était à peine après le dernier sursaut. Le souffle suspendu, elle prit l'animal encore chaud qui devenait plus lourd de seconde en seconde.

— C'est une femelle, dit son cousin.

— Partons !

Elle tenait l'écureuil par le milieu du corps, sentait son ventre qui frémissait. Des gouttes de sang tombaient sur la neige.

— Où ?

— A la maison. Nous prendrons la voiture.

— Mais les autres ?

— Je veux aller à la maison avec la voiture.

Il n'osa pas refuser. Il la suivit, en faisant des moulinets avec son bâton. Le cheval, qui avait écarté la neige, broutait l'herbe. Personne ne vit partir la carriole. Le traîneau vert était très loin, à peine visible. Edmée et Jef se serrèrent l'un contre l'autre sur le banc avant.

— Pourquoi veux-tu rentrer ?

— Je ne sais pas. Je veux aller manger des pommes de terre chaudes dans notre hutte.

Ce qu'elle appelait la hutte, c'était la remise, au fond de la cour. Jef était inquiet et se retournait souvent.

— Comment vont-ils revenir ?

— Ils n'ont qu'à rentrer à pied.

L'écureuil était sur ses genoux, déjà beaucoup plus froid. Elle avait froid aussi. Et pourtant il y avait une étrange chaleur dans sa poitrine et surtout sous son crâne.

Tout paraissait noir sur le blanc de la neige, même le cheval gris, même les brancards de la carriole et le vert des sapins. On allait au trot et les bustes se balançaient, se heurtaient parfois à cause des cahots.

— Au fond, prononça soudain Edmée, Fred n'est pas si bien portant que cela.

Et, comme son compagnon ne disait rien, elle poursuivit en fixant la croupe du cheval :

— Cela ne m'étonnerait pas que l'oncle soit mort de la syphilis. Mon père était docteur...

Jef tourna vers elle un visage ahuri.

— De la quoi ?

— De la syphilis ! En somme, vous êtes tous des dégénérés. Vous avez le sang pauvre, malade. Mia m'a avoué qu'elle a de l'eczéma à une jambe depuis sa plus tendre enfance. Fred a toujours un bouton quelque part. Et il n'y a pas dans la famille une tête qui soit normale, symétrique. Toi, tu as une face d'hydrocéphale...

Les nerfs tendus, elle parlait pour elle, pas pour lui, mais elle n'était pas fâchée que quelqu'un l'entendît. D'ailleurs, elle pensait ce qu'elle disait. Elle avait remarqué que chez ses cousins et cousines la moindre plaie, la plus petite égratignure, mettait des semaines à guérir.

Eh bien, elle, malgré sa pâleur, son anémie, guérissait beaucoup plus vite. Et elle n'avait pas un bouton, pas une irrégularité de la peau !

Chez eux, tout était irrégulier. Pas un nez qui partît droit, avec des narines égales, même chez les petites filles. L'avant-dernière louchait légèrement et les cheveux eux-mêmes, chez tous, poussaient de travers.

— Ne dis jamais ça à maman, ni à Fred !... grommela Jef au moment d'arriver à la maison.

Il fit le tour pour entrer dans la cour et, sans dételer, attacha le cheval à la porte de l'écurie.

— Ils seront furieux.

— Viens allumer du feu.

Et Edmée entra dans le réduit qu'elle appelait leur hutte, posa l'écureuil sur le sol. Elle était lasse, profondément, comme si la fatigue eût résidé dans ses os et en même temps elle se sentait capable de tenir tête à tout le monde.

Jef pénétra un instant dans la cuisine, sans doute pour dire quelque chose à sa mère et, malgré l'éloignement, l'odeur des gaufres parvint jusqu'à Edmée. Il revint avec un fagot, bâtit son feu, flamba une allumette en disant :

— Il doit y avoir des pommes de terre dans le coin aux outils.

C'était une invitation à aller les chercher, mais Edmée, assise sur la bûche qu'elle avait adoptée comme siège, ne bougea pas. Elle regardait les flammes qui montaient, minces d'abord, et bleuâtres, puis qui s'élargissaient en devenant plus jaunes. Elle était transie.

— Qu'est-ce que ta mère a dit ?

— Rien. Elle fait ses gaufres.

— Je ne crois pas qu'elle soit très intelligente. Elle aussi a de l'eczéma...

Jef referma la porte. Une fenêtre étroite laissait pénétrer la lumière du jour qui était aussitôt dévorée par les reflets rouges du foyer.

— Je le dépouille ?

Il montrait l'écureuil à la tête cassée qui était devenu une chose sans prestige.

— Ce n'est pas la peine. Assieds-toi ici.

Et, dès qu'il fut assis, elle questionna :

— Cela ne te fait rien de tuer les bêtes ?

— Pourquoi ?

— Et si c'étaient de plus grosses bêtes ?

— Une année, nous avons abattu un sanglier.

— Et si c'étaient des gens ?

Elle rit tout à coup, nerveusement. Repliée sur elle-même, contre le feu, elle était pénétrée des pieds à la tête de sa chaleur. Jef, dérouté, ne répondait pas.

— Qui est le plus fort, Fred ou toi ?

— Je crois que c'est moi.

Il était assis à côté d'elle, par terre, massif comme un ours.

— Est-ce qu'il tue les écureuils ?

— Fred a toujours été à l'école, à Hasselt, et il a même fait un an d'université à Liège...

La fenêtre n'avait pas un demi-mètre carré mais on voyait parfois passer, hésitant, un flocon de neige.

— Tu as peur de lui ?

Il y avait de l'ivresse dans l'air : l'ivresse du froid, de la course sur la glace, puis du sang qui avait coulé goutte à goutte de la tête de l'écureuil. Et aussi, maintenant, l'ivresse du feu qui les baignait d'une odeur de résine. De l'autre côté de la cour, la tante, roide et sèche dans ses vêtements incolores, mettait tour à tour les moules à gaufres sur le feu, les tournait, versait la pâte liquide avec une louche, et les gaufres dorées s'empilaient sur les claies.

— Je t'ai demandé une pomme de terre.

Il en trouva une oubliée de la veille sous la cendre et il l'éplucha avec son couteau, le même couteau qui servait à éventrer et à dépouiller les écureuils.

— Je crois que tu n'oserais pas faire quelque chose de plus grave.

— Faire quoi ?

— Je ne sais pas.

Elle avait la bouche pleine de la pâte chaude de la pomme de terre.

— Quelque chose de dangereux ! Ce n'est pas dangereux de tuer une petite bête !

Jef était le plus laid de la famille. Les autres, comme Edmée l'avait dit, avaient des irrégularités de la peau, des boutons, de l'eczéma, ou des dissymétries. Lui n'était que dissymétries. Lui était raté, mais il était fort comme un animal de la forêt.

— Quelque chose de dangereux ? répéta-t-il.

Il ne la regarda pas, fixa le feu. Dix centimètres à peine les séparaient, elle et lui. Et il y avait comme des courants, comme des ondes, qui parcouraient ces dix centimètres et qui les réunissaient. Mais des courants de quoi ?

Il faisait chaud, trop chaud, surtout après le froid du champ de glace. Jef avait enfoui deux autres pommes de terre sous la cendre et, machinalement, il entreprenait de dépouiller l'écureuil.

— Moi, disait Edmée toute tendue, je n'aimerai jamais qu'un homme capable de faire des choses extraordinaires, un homme qui n'aurait peur de rien ! Pas un homme qui aurait peur d'une fille comme celle de la boulangère ! Une grosse fille molle ! Je voudrais un homme capable de tuer, mais de tuer vraiment, qui risquerait sa tête...

Jef déshabillait l'écureuil, qu'il tenait d'une main par la tête. De l'autre, il lui enlevait la peau et cela faisait un bruit soyeux.

Il y eut de très longs silences. Edmée mangea deux pommes de terre. Et toujours elle sentait en elle un mélange de chaud et de froid, peut-être parce que la porte laissait pénétrer l'air par une fente de cinq centimètres. Elle revoyait le grand traîneau vert qui évoluait sur la glace, et la fille affalée sur les coussins.

— Fred sera furieux de rentrer à pied !

Ils restèrent là pendant deux heures, n'échangeant que de rares paroles et, peu à peu, à la sensation de chaud et de froid s'en mêla une autre : celle de la peur. Il était depuis longtemps l'heure du dîner quand Jef murmura :

— Nous devrions rentrer à la maison.

Les piles de gaufres étaient hautes d'un mètre, l'odeur de pâte sucrée, cuite ou brûlée, insupportable. Car il y avait une pile à part pour les gaufres brûlées.

La rencontre eut lieu dans la cuisine, les uns venant de la route, les autres de la cour. Seule Mia semblait n'appartenir ni à l'un ni à l'autre groupe. Les petites, elles, faisaient bien partie du clan de Fred.

Celui-ci n'hésita pas, marcha droit vers son frère, lui dit deux phrases en flamand et le gifla en pleine figure.

Les piles de gaufres fumaient encore. Les flocons de neige flottaient en plus grand nombre.

Du blanc dehors, aux deux fenêtres. Un air blanc et froid qui filait sous la porte.

Sur la table, la soupière, les assiettes, les couverts.

La tante retirait l'épingle de sûreté retenant le châle au dos de ses filles.

— Ça brûle ! cria Mia en se précipitant vers un moule à gaufres qu'elle retourna.

Ce fut tout. Ils s'assirent tous autour de la table, Fred qui regardait durement devant lui, Jef qui avait une joue plus rose que l'autre et les enfants qui avaient patiné éperdument pendant des heures.

4

Il ne devait plus geler de l'hiver. Le lendemain déjà tout le blanc était en débâcle, la campagne n'était que boue froide et de grosses gouttes d'eau tombaient une à une des arbres.

La famille partit au complet, depuis la tante jusqu'à la dernière des petites, et on ferma la porte de la maison. Dans la voiture, on dut se serrer. On traversa le canal, puis le village, en passant devant le terrain de patinage où stagnaient encore des glaçons gris.

Quand on arriva chez l'oncle Louis, à Maeseyck, la grande maison bien entretenue était pleine de monde et l'air sentait le cigare et le genièvre. On parlait flamand. On s'embrassait. Edmée, comme les autres, fit le tour de l'assistance, oncles, tantes et voisins.

Les enfants mangèrent à part, pendant que les grandes personnes continuaient à grignoter des biscuits, à fumer des cigares et à vider des petits verres. L'après-midi l'oncle s'enferma pendant une heure avec Fred pour parler d'affaires et, quand ils sortirent, ils étaient de méchante humeur.

Le retour eut lieu dans l'obscurité. Une des petites s'endormit sur les genoux d'Edmée. De loin en loin, Fred prononçait une phrase et sa mère, le plus souvent, répondait d'un hochement de tête.

On allait vivre désormais des mois dans le mouillé,

dans le froid, dans la boue et surtout dans le vent. C'était une tempête perpétuelle qui charriait dans le ciel des nuages sombres, toujours prêts à crever. Dans la maison, on se disputait du matin au soir à propos de portes ouvertes car, dès qu'on entrait ou sortait, les pièces se remplissaient de courants d'air, les papiers volaient de la table, des filets d'eau gagnaient le milieu des chambres et chacun rapportait du dehors d'épaisses galettes de boue qu'il semait sur les dalles.

Les petites n'en faisaient pas moins, cahin-caha, en se tenant par la main, cinq kilomètres tous les matins pour aller à l'école. Et le soir, quand elles rentraient, c'étaient des joues mouillées de pluie froide qu'on embrassait.

Chaque semaine, Fred se rendait à Hasselt ou à Bruxelles. Edmée apprit de Mia que la succession du père avait été une surprise désagréable. Il y avait des hypothèques sur les Irrigations et par-dessus le marché on n'avait trouvé en caisse aucun fonds de roulement.

— Il paraît, soupira Mia, que mon père voyait une femme à Hasselt, lui aussi.

Et on devinait que cela lui faisait plaisir !

Le dimanche matin, tout le monde s'en allait en voiture vers Neroeteren, sauf Fred qui restait au lit. On partait de bonne heure et on arrivait à l'église pour la première messe, alors que le jour n'était pas levé. L'église était étroite, toute en longueur. Il n'y avait pour l'éclairer, outre les cierges de l'autel, que deux lampes à pétrole.

La tante avait un prie-Dieu de velours vert et Mia un prie-Dieu grenat, mais les autres se contentaient de chaises. Dans la nef, il y avait très peu de monde : surtout des vieilles qui se confondaient avec la pénombre des bas-côtés.

Cela sentait le réveil trop matinal, l'eau froide qui avait servi à se débarbouiller et la faim naissante. Car, pour pouvoir communier, on ne mangeait rien avant de partir. Chacun emportait dans sa poche une barre de chocolat et les petites commençaient furtivement à la croquer en revenant du banc de communion.

La tante avait l'habitude de prier en regardant l'autel et en remuant les lèvres. C'est là, dans cette pose, qu'elle prenait toute sa personnalité. Son long visage délavé par cinquante hivers de Campine atteignait au paroxysme de la résignation. Ses yeux flous fixaient le tabernacle et ses lèvres s'agitaient au rythme toujours égal de ses prières.

Pour aller communier, les petites marchaient les premières, puis venait Mia, puis Edmée et enfin la tante, quelquefois Jef, mais pas toujours. Les mains jointes et les yeux baissés, on entendait derrière soi les pas furtifs de toutes les vieilles qui s'approchaient à leur tour de la Sainte Table. Le curé passait en murmurant l'oraison rituelle et Edmée fermait les yeux à moitié. Elle attendait quelque chose. Chaque dimanche, elle guettait le moment où le curé arrivait devant elle, le ciboire à la main, et c'était ce ciboire que ses prunelles fixaient intensément pendant quelques secondes.

Il était très grand, très large, en or repoussé. On voyait en relief des anges joufflus qui formaient une guirlande autour du vase. Mais ce qu'Edmée regardait, c'étaient quatre monstrueuses pierres violettes enchâssées dans le métal. Jamais elle n'avait vu de pierres aussi grosses et celles-ci, dans la lumière rare de l'église, sous les rayons obliques de la lampe à pétrole, avaient des reflets somptueux.

Edmée aimait les pierres. Souvent elle montait dans sa chambre pour caresser les grenats et les rubis qui ornaient les vieux bijoux qu'elle gardait dans une boîte et elle rêvait aux pierres du ciboire qui étaient plus belles que toutes les autres pierres, attirantes, mystérieuses.

En rentrant de la messe, on achetait une tarte chez le boulanger. Quelquefois, au retour, Fred n'était pas encore levé ; d'autres fois, on le trouvait à moitié habillé, le torse bombé dans une chemise empesée, les cheveux gras de brillantine.

Il disait qu'il allait à la grand-messe de dix heures mais tout le monde savait qu'il n'entrait pas à l'église et qu'il faisait à l'estaminet des parties de cartes ou de quilles. Quand il revenait, vers une heure, son haleine sentait le genièvre ou le vermouth.

Il ne regardait guère Edmée, lui adressait rarement la parole. Une fois ou deux, au passage, il lui tapota la cuisse, tandis qu'elle se raidissait et le fixait avec colère.

— Je sens que c'est un homme dégoûtant ! dit-elle un jour à Mia, qui ouvrit de grands yeux étonnés.

— Pourquoi ?

— Je ne sais pas. Je le sens.

Et Mia rougit soudain en se rappelant qu'elle avait trouvé dans les poches de son frère des photographies de femmes et d'hommes nus dont la seule vue avait provoqué en elle une angoisse insoutenable.

Fred passait une heure ou deux par jour dans son bureau, mais le plus souvent il devait aller à Maeseyck, ou dans un village voisin. D'autres fois des gens venaient le voir et on servait du genièvre et des cigares dans le bureau. Il s'agissait de vendre du foin ou du regain, d'acheter des engrais et des bêtes. Pendant trois jours, il parcourut la propriété avec deux hommes vêtus de cuir qui marquèrent d'une croix les peupliers à abattre.

C'était rare de passer un jour sans pluie. La seule différence, c'est que certains jours elle tombait fine et serrée, sans discontinuer. Ces jours-là, le ciel était d'une teinte uniforme et c'était le plus triste. D'autres fois, il y avait grand vent, des nuages de toutes les formes couraient à ras des peupliers et la pluie tombait par rafales, crépitait dans la cour, sur la route, sur les vitres, pénétrait dans la maison par les moindres fissures.

Edmée choisissait ce temps-là pour suivre Jef, qui allait ouvrir les vannes d'un canal ou donner des ordres à un garde. L'eau lui lavait le visage, tremblait au bout de son nez et de son menton. Elle traînait les pieds dans la boue, car elle n'était pas encore habituée à marcher avec des sabots. Parfois il fallait franchir un fossé plein d'eau et Jef la prenait sous son bras, sans effort, pour la déposer de l'autre côté.

— Tu es sûr que Fred n'est pas plus fort que toi ?

— J'en suis sûr.

— Alors, pourquoi t'es-tu laissé gifler ?

— Il est l'aîné.

Qu'est-ce que cela pouvait faire ? Parce qu'il était l'aîné, la tante elle-même l'écoutait comme, pendant des années, elle avait écouté son mari !

— Est-ce que tu as des maîtresses aussi, Jef ?

Il était effaré, n'osait pas répondre. On ne pouvait deviner si elle savait ce qu'elle disait ou si elle répétait des mots comme une enfant, sans en mesurer la portée. Jef, pourtant, était incapable de la traiter en petite fille. Il la suivait, faisait tout ce qu'elle lui commandait. Et elle en abusait. Elle le faisait exprès, à table, de lui dire :

— Jef, va me chercher mon médicament.

Jadis, son père lui faisait prendre de l'hémoglobine et elle continuait, pour avoir, à table, sa bouteille à elle seule.

Jef se levait sans empressement, comme à regret, avec son air le plus lourd et le plus bourru.

— On ira dans notre hutte, aujourd'hui ?

— Je ne sais pas si j'en aurai le temps.

Mais il finissait par y venir. Elle aimait être ainsi

séparée du reste de la maison, dans la bicoque qu'éclairait le feu de pommes de pin. Elle se tenait aussi près des flammes que possible, attendant le moment où les aiguilles de chaleur pénétreraient sa chair.

— Fais quelque chose !

Car elle ne voulait pas voir Jef inoccupé. Il taillait du bois, ou arrangeait ses peaux d'écureuil. Le vent soufflait dans la cheminée. Dans l'étable proche, une vache meuglait parfois, ou frappait la cloison du pied.

— Est-ce que tu as pensé à ce que je t'ai dit l'autre jour ?

La grosse tête de Jef restait impassible. Il avait des mouvements lents, surtout quand il levait son front large, trop bombé, et regardait sa cousine en fronçant les sourcils.

— Que veux-tu dire ?

Et ses mains incrustées d'une crasse qui ne s'en allait plus à l'eau, ni au savon, maniaient toujours couteau et bout de bois.

— Je voudrais que, pour moi, tu fasses quelque chose de dangereux, de difficile...

Elle avait le même frisson voluptueux que quand elle tendait la main vers l'écureuil agonisant. Elle avait peur, sans savoir si c'était d'elle ou de lui. Ses lèvres s'humectaient.

— Quoi, par exemple ?

— Si je te demandais d'aller me chercher un objet qu'on ne peut pas acheter... un objet qui appartient à quelqu'un...

Il haussa les épaules, repoussa d'un coup de sabot une bûche qui croulait.

— Dis-moi quoi !

— Tu iras ?

— Pourquoi pas ?

Si Fred s'habillait comme un homme de la ville, avec, même pour aller dans les champs, un faux col et une cravate, Jef, lui, était vêtu en paysan. Il avait toujours un costume informe, un de ces costumes dont on ne connaît même plus les origines. Les poches pendaient, à force d'avoir été trop remplies. Le veston n'avait plus qu'un bouton et, dessous, il n'avait qu'une chemise de flanelle sans faux col.

Edmée n'imaginait même pas qu'on pût embrasser Jef, mais elle aimait le sentir près d'elle, surtout dans leur hutte où ils étaient séparés du reste de la famille.

Deux jours avant, une cheminée s'était en partie écroulée et il était monté sur le toit, avec du mortier et des briques. En équilibre sur l'arête supérieure, il avait refait la maçonnerie.

Quand le cheval s'était emballé et s'était élancé seul à travers la campagne, Jef était parti avec une petite baguette. On les avait vus très loin l'un de l'autre. Ils avaient disparu à l'horizon, derrière l'épais rideau de pluie. Puis, trois heures après, Jef était revenu, sur le cheval, sans selle, sans étriers, dodelinant sa grosse tête, ses pieds chaussés de sabots serrant les flancs de la bête.

— Si je te disais de voler...

Elle était soûle, comme chaque fois qu'elle venait dans le réduit, soûle de chaleur, soûle de fixer les flammes qui dansaient, de respirer l'odeur de sapin et de manger des pommes de terre brûlantes. Sa petite poitrine haletait. Ses narines se pinçaient.

— Je suis sûre que tu n'oserais pas voler les pierres violettes du calice !

En disant cela, elle se figurait Jef, la nuit, rampant sur le toit de l'église, pénétrant par quelque ouverture et se dirigeant à tâtons à travers les chaises de paille et les prie-Dieu qui faisaient du bruit sur les dalles. Elle en avait mal aux nerfs et c'était délicieux. Avec son gros couteau, il ferait jaillir les pierres des griffes d'or qui les retenaient...

— Ce n'est pas difficile ! dit-il sans la regarder.
— Mais tu ne le feras pas !

Vers la mi-janvier, il y eut un événement extraordinaire. Il était près de huit heures du matin et tout le monde était à table, dans la cuisine, sauf Jef qui, à cette heure-là, travaillait toujours dehors, à l'étable, au fournil ou ailleurs.

La tante découpait les galettes de sarrasin au lard qui, toute la matinée, imprégnaient la cuisine de leur odeur. Mia versait du lait chaud et du café dans les bols. Les petites étaient parties et Fred parlait d'aller l'après-midi au village.

A travers les vitres on voyait les peupliers lutter contre la bourrasque qui les faisait craquer. Jamais peut-être le vent n'avait été aussi violent et il était chargé d'une pluie serrée qui se plaquait aux herbages.

Dans la cuisine, c'était l'habituel mélange de la chaleur du feu et de tous les courants d'air qui se faufilaient par les fissures des fenêtres et des portes.

Edmée n'avait pas faim. Elle regardait la seule ligne droite du paysage, le canal, noir entre ses deux talus, qui passait à cinq cents mètres. Elle aperçut deux chevaux qui suivaient le chemin de halage devant un charretier tout dégouttant d'eau qui regardait par terre.

A la suite des bêtes, une corde tendue entra dans le rectangle de la fenêtre, puis ce fut l'avant d'une péniche flamande qui, elle aussi, était luisante de pluie. De la fumée s'échappait de la cheminée plantée au-dessus de la cabine. Au mât, on avait fixé une voile informe, une bâche suspendue par des moyens de fortune.

Le vent gonflait la toile. La péniche glissait si vite qu'en un rien de temps elle fut hors du cadre de la fenêtre.

Au même moment, il y eut un bruit lointain, pareil

à d'autres bruits quelconques, et pourtant chacun sentit que c'était un bruit de catastrophe, même la tante qui cessa de découper la galette et, comme les autres, se précipita à la fenêtre.

Ce fut inouï, car on n'entendait plus rien et on n'eût même pu dire ce que l'on avait entendu. La péniche était arrêtée, comme si elle eût heurté quelque chose. Le mât était cassé en deux et la voile pendait sur le pont.

Mais le plus hallucinant fut ce qu'il advint des chevaux au moment précis où Edmée collait son front à la vitre. Ils étaient à cent mètres en avant de la péniche. Or, la remorque qui les unissait à celle-ci se tendait brusquement, se détendait, se tendait encore et cette fois entraînait les bêtes en arrière.

Un cheval, celui de droite, disparut aussitôt dans le canal. L'autre put se raccrocher un moment de ses pattes de devant à la rive, mais il fut arraché à son tour par le poids de son compagnon.

Pendant ce temps-là, des silhouettes couraient sur le fond glauque du ciel, et le bateau en vidange qui, un peu plus tôt, dominait le canal diminuait de hauteur à vue d'œil.

— Il coule !... dit Fred en ouvrant la porte.

Il coulait, en effet. A cet endroit, le canal faisait un coude et la péniche qui glissait à toute vitesse, poussée par le vent, avait continué sa route en ligne droite, en dépit des coups de barre, et s'était violemment heurtée au talus.

Les chevaux, arrêtés dans leur élan, avaient été tirés en arrière et on en voyait un qui essayait désespérément de tenir la tête hors de l'eau en dépit du câble enroulé à ses pattes.

Edmée suivit Fred, sans même prendre son châle. Dans la cour, Mia criait de toutes ses forces :

— Jef !... Viens vite... Jef !... Où es-tu ?...

Mais Edmée ne put s'approcher de la péniche, dont seuls le toit de la cabine et le mât brisé émergeaient. Entre elle et le canal, il y avait un autre canal plus étroit, destiné à irriguer les terres, qu'elle ne pouvait franchir. Fred avait sauté. Elle le voyait s'agiter, aider une femme à se hisser sur le talus.

Toutes les silhouettes, dans la grisaille, étaient d'un noir d'encre. Après la femme, on vit une petite fille dont les cheveux mouillés collaient à la nuque. Le charretier et le marinier s'efforçaient en vain de sauver les bêtes dont les mouvements créaient des remous. Il n'y avait rien à faire. Pourtant, ils ne se décidaient pas à abandonner le lieu de l'accident. Ils restaient là, l'un contre l'autre, sous la pluie, tandis que le toit de la cabine s'enfonçait à son tour.

Dix fois Edmée se retourna pour voir si Jef n'arrivait pas. D'abord, il l'aiderait à franchir le fossé. Ensuite, lui, trouverait certainement quelque chose à tenter. Sur le seuil de la maison, Mia appelait toujours. Le domestique traversait les prés à longues enjambées.

Cela dura peut-être une demi-heure. Edmée était mouillée des pieds à la tête. Sa chemise lui collait au corps et elle commençait à avoir les lèvres violettes quand le groupe de la péniche et Fred se dirigèrent vers la maison.

Tout le monde entra. La femme pleurait convulsivement. Elle était aussi maigre que la tante, avec des cheveux filasse, des taches de rousseur et, comme elle n'était pas habillée quand l'accident s'était produit, on voyait par l'échancrure du corsage un sein mou dont elle ne sentait pas la nudité. L'homme regardait autour de lui d'un air hébété et le charretier grognait, se mouchait, se grattait la tête avec fureur.

On alla chercher un cruchon de genièvre.

— Jef n'est pas encore ici ?

C'était Fred qui le cherchait, comme pour lui demander conseil. Le charretier grommelait :

— Il y en a cinq autres qui suivent ! Faudrait avertir l'écluse d'amont, sinon...

Mais on n'avait pas le téléphone et Jef n'était pas là pour courir au village. A nouveau c'était l'odeur âcre du genièvre qui imprégnait l'atmosphère. Edmée elle-même en eut un verre. Sa tante essayait de lui faire comprendre qu'elle devait aller se changer, mais elle ne bougeait pas, voulait tout voir. Elle rôdait autour de la femme, de l'homme, de l'enfant. Elle les regardait de tout près, avidement, en écoutant les mots flamands qui se disaient.

— Jef n'est pas à l'étable ?

— Non ! C'est le jour du pain. Il devrait être dans le fournil et il n'y est pas.

Mia était désaxée. Elle ne savait où donner de la tête et son frère se fâcha parce qu'elle ne mettait pas assez vite de l'eau au feu pour faire du café.

Soudain on vit un cycliste passer devant la fenêtre, s'arrêter juste après celle-ci. C'était Jef. Mais il n'entrait pas dans la maison. Quand on ouvrit la porte, il se dirigeait vers la bicoque qu'Edmée appelait la hutte.

— Jef !

— Je viens.

— Non ! Tout de suite !

Il fit demi-tour à regret, parut sur le seuil et, l'œil méfiant, regarda les intrus.

— Qu'y a-t-il ?

— D'où viens-tu ?

— De Neroeteren. Je n'avais plus de levure...

Edmée remarqua qu'une écorchure zébrait sa main droite et qu'il évitait de la regarder. On lui expliqua ce qui était arrivé. Il écouta sans broncher, se tourna vers le canal, grogna :

— Bon !

Puis on parla flamand. La femme cessa de pleurer pour expliquer quelque chose avec véhémence tandis que Jef la fixait de ses yeux fatigués. Il y avait de l'hésitation dans l'air et c'est de Jef qu'on semblait attendre une décision.

— Bon ! répéta-t-il enfin en promenant son regard autour de lui.

Et il mit la bouteille de genièvre dans sa poche, donna un ordre à Mia qui se précipita au premier étage et revint avec un lourd pardessus.

Il faisait plus clair, mais la pluie redoublait. La tante était plus désolée que la marinière qui, depuis quelques instants, semblait reprise par l'espoir.

Jef sortit avec le patron du bateau, Fred et le charretier. La femme courut à la porte pour leur crier une recommandation. Sans qu'on s'en aperçût, Edmée suivit les hommes qui sautèrent par-dessus le petit canal.

— Jef !

Il se retourna, la vit, revint sur ses pas pour l'aider à passer. Il était troublé. Son regard avait une mobilité inaccoutumée.

— Marche près de moi ! souffla-t-il.

Il ne restait que cent mètres à parcourir. Le charretier était déjà au bord du canal et cherchait des yeux le cadavre de ses chevaux.

— Donne ta main !

Ils marchaient l'un contre l'autre et la patte dure de Jef serra la main d'Edmée, ouvrit les doigts, y renferma de petits objets glacés.

— Attention !

Et il la quitta, s'élança en avant. Ce qu'elle avait dans la main, c'étaient les quatre pierres violettes du ciboire. Elle n'avait pas de poche. Elle ne savait où les mettre et elle serrait si fort les phalanges qu'elle croyait saigner.

Quant à Jef, il retirait son veston, demandait un renseignement au marinier. Du bateau, on ne voyait plus que les parties hautes : un morceau du toit de la cabine, le dôme du gouvernail et le mât cassé. Fred feignait l'insouciance. Le batelier donnait ses dernières explications en regardant Jef avec une pointe d'effroi.

Le dernier geste de Jef fut de repousser ses sabots et aussitôt il se jeta à l'eau, n'importe comment, sans plonger, marcha sur l'épave, s'enfonça jusqu'à la poitrine, puis soudain, trouvant sans doute la porte de la cabine, disparut tout à fait.

Il y eut un remous. L'eau était noire. Le vent la faisait clapoter contre les berges qui étaient si gluantes que le charretier faillit glisser dans le canal. Jef émergea, lança quelques mots au marinier et disparut à nouveau.

Enfin il revint, nagea vers la berge, un objet mou à la main. On dut l'aider à se hisser. Ses pieds mouillés patinaient sur l'argile détrempée. Il était tout pâle, presque bleu, les paupières rouges, et sa bouche restait ouverte tandis qu'un souffle court et brûlant s'en exhalait.

Il laissa tomber par terre l'objet mou qui était un portefeuille. Le marinier l'ouvrit et en tira des billets de mille francs collés les uns aux autres.

La main d'Edmée saignait vraiment, à force d'étreindre les pierres violettes qu'elle se retenait de jeter dans le canal.

5

Pendant trois jours, la tante ressembla à une chatte inquiète qui, dans le désordre d'un déménagement, rôde autour de ses petits qu'on change sans cesse de place. Comme une chatte elle avait adopté Edmée, sans même l'observer, si bien que parfois, quand son regard tombait sur elle, elle avait un instant d'étonnement.

Matériellement, le bouleversement fut aussi grand, plus grand peut-être, qu'à la mort de l'oncle et cette répétition d'événements affolait la tante, prenait à ses yeux des allures de menace.

Mia confia à Edmée que, jadis, sa mère n'allait pas plus d'une fois par an à Maeseyck, le 1er janvier, pour présenter ses vœux à l'oncle Louis qui était son frère aîné. Hormis ce voyage, elle ne quittait jamais Neroeteren et c'était si rare d'y recevoir une visite qu'en rentrant, l'oncle apercevait du premier coup d'œil un verre sur la table, ou reniflait l'odeur de tabac ou de genièvre.

— Qui est venu ?

Il y avait un rythme établi, un jour pour cuire le pain, un autre pour faire des gaufres ou des crêpes, un autre enfin, chaque mois, pour aller au cimetière.

Or, maintenant, on sentait bien que tout cela chancelait. Il y avait eu l'enterrement d'abord, l'arrivée d'Edmée, puis, si vite, le 1er janvier, et enfin cet accident et ses suites. Fred offrait à boire à des gens avec qui son père n'eût pas trinqué, faisait monter du bourgogne en des occasions qui n'étaient pas de vraies occasions à bourgogne.

La tante ne disait rien. Elle allait et venait du matin au soir, mais parfois ses yeux ternes avaient comme un tremblement d'inquiétude.

Il fallut préparer une chambre pour le batelier et sa femme, que Fred avait invités à coucher à la maison en attendant le renflouement. Du même coup, on logea le charretier dans la remise. Et c'étaient des draps à prendre dans les armoires, des planchers à balayer, des vêtements secs à trouver pour la petite.

Il pleuvait toujours et il y avait de l'eau dans toute la maison qui semblait pleine de trous.

Pendant les trois jours, la batelière ne quitta pas sa chaise au coin du feu. Tout le monde aidait au ménage, car on était douze à table, certaines fois quinze, mais elle ne s'apercevait pas du travail à faire.

Des heures durant, elle se lamentait au point qu'elle avait l'air de savourer son malheur.

Le premier jour, vers midi, l'ingénieur des ponts et chaussées arriva avec un chef éclusier et on fit une longue station au bord du canal, d'autant plus longue que Jef avait déjà installé un treuil sur le talus pour retirer de l'eau les chevaux morts.

L'accident avait été si rapide que le marinier n'avait rien vu. Lorsqu'il y avait vent arrière et que la risée était forte, la péniche vide avançait plus vite que les chevaux, dont la remorque mollissait. Or, au tournant, l'homme n'avait pas pu redresser son bateau, qui avait heurté la rive. A d'autres endroits, c'eût été moins grave, mais il y avait là dans le talus une sorte de tunnel en maçonnerie, avec une vanne, qui servait à amener aux Irrigations les eaux du canal.

Fred déclara dès le premier coup d'œil :

— L'étrave a touché la prise d'eau et l'a démolie. Quant à la coque, je parie qu'elle a un trou grand comme une porte.

La péniche s'arrêtant net dans son élan, la remorque des chevaux s'était tendue d'un coup si sec que les bêtes avaient été littéralement traînées vers le canal. Pendant que le marinier sauvait sa femme et sa fille, le vieux charretier s'était agité à vide, horrifié par le spectacle des deux bêtes emmêlées dans la corde et essayant de nager quand même sans pouvoir grimper sur le talus glissant. Quarante-huit heures après, il en était encore hébété. C'est pourtant lui qui, sous la pluie qui faisait luire ses épaules, alla en bachot frapper une amarre à la patte des bêtes qui flottaient à moitié.

Edmée était présente. Elle ne pouvait rester à la maison. Elle éprouvait un obscur besoin de rester avec les hommes, d'entendre parler, crier, de sentir la pluie sur son front où frisottaient de petits cheveux.

Jef manœuvrait le treuil et tout le monde l'aidait à tourner la roue cependant que, centimètre par centimètre, les cadavres monstrueusement grands et gros, la panse déjà gonflée, montaient sur le talus.

Fred était le seul à porter des guêtres et un pardessus de cuir, ce qui lui donnait vraiment l'air du propriétaire. De même que la marinière se complaisait dans son malheur, il se complaisait dans son rôle de personnage important qui dirige tout et à qui chacun demande des instructions. Son nez mouillé par la pluie paraissait plus long et Edmée remarquait mieux que les autres jours l'asymétrie de son visage.

— Va te chauffer, toi ! lui dit-il à deux reprises.

Mais elle restait au bord du canal, toute froide, toute mouillée. Elle avait enfoncé les pierres violettes dans la terre, au pied d'un peuplier. Des heures durant elle avait guetté Jef, attendant le moment de lui parler, et pendant tout ce temps elle l'avait regardé avec des yeux tellement interrogateurs que les prunelles lui faisaient mal. Il n'avait pas bronché ! On eût même dit qu'il l'évitait. Il travaillait sans relâche, plus que tous les autres réunis, abattant tour à tour la besogne de chacun.

A table, on fut serré. On avait tué trois lapins. La tante, sans poser de questions, écoutait la conversation des hommes et parfois Mia traduisait une phrase à Edmée :

— On a fait venir un scaphandrier et un remorqueur. Tu as déjà vu un scaphandrier ?

On avait d'abord pensé à vider le bief, qui avait cinq kilomètres, mais avec les trombes d'eau qui tombaient c'était impossible. Or, l'épave ne pouvait rester en travers du canal, à empêcher toute navigation.

Après que les hommes eurent bu un verre d'alcool et fumé un cigare, ils retournèrent au bateau, puis à Neroeteren, et le lendemain l'aspect des Irrigations était encore plus inaccoutumé.

En se levant, Edmée vit le canal, qu'elle avait toujours connu désert, encombré d'un chapelet de huit péniches. Un remorqueur sifflait en les dépassant pour s'approcher de l'épave et une foule s'agitait sur le talus.

A peine levée, elle courut là-bas, malgré la tempête. Lorsqu'elle restait dans la cuisine avec la tante, la marinière et Mia, elle était en proie à une sorte d'étouffement. Le désordre l'affectait autant, peut-être plus que la tante, et il lui semblait qu'il y avait dans les événements une fatalité rigoureuse qui menaçait toute la maison.

Elle y avait tant pensé dans son lit, la veille au soir, qu'à la fin la tête lui tournait et qu'elle ne savait plus ce qui était cauchemar ou réalité. L'oncle n'était-il pas mort juste au moment où elle était arrivée aux Irrigations ? L'eczéma de Mia s'était aggravé. Un accident venait de se produire et Jef avait commis un sacrilège.

Elle n'osait plus toucher la main de son cousin. Elle se demandait comment il pouvait garder sa physionomie habituelle, travailler, parler aux gens, sauf à elle, qu'il ne regardait même plus en face.

L'oncle Louis était sur le talus, avec des guêtres, lui aussi, et Fred se montrait contrarié de sa présence et surtout de la part qu'il prenait à la direction des travaux. Le remorqueur amenait une grue. Un scaphandrier revêtait son costume de plongée et des aides lui vissaient une tête de cuivre.

Edmée devait avoir la fièvre, car parfois elle était prise de tremblements nerveux alors qu'elle rôdait toute seule parmi les groupes. Fred lui lança une fois de plus :

— Tu ferais mieux d'aller à la maison aider les femmes !

Plus tard, l'oncle Louis lui tapota la joue avec bienveillance et dit :

— Tu es sûre de ne pas prendre froid, petite ?

On la regardait. Il y avait là les hommes et les femmes des autres péniches, qui attendaient de pouvoir franchir le bief et dont le nombre augmentait d'heure en heure. Edmée n'avait pas voulu mettre son châle noir, ni ses sabots. Elle avait endossé une gabardine trop mince, qui laissait passer l'eau, mais qui lui donnait l'aspect d'une jeune fille de la ville.

Elle vit des gens demander à Fred qui elle était et certains accompagnaient leur question d'une œillade qui fâchait Edmée tout en la flattant. Car elle en devinait la signification. On supposait des relations entre elle et Fred. On la trouvait jolie, beaucoup plus jolie que les filles des campagnes.

Elle s'était regardée dans la glace, le matin, presque nue, d'un regard dur. Elle était maigre, des jambes surtout, et des épaules qui avaient des salières. C'est à peine si ses seins se gonflaient et cependant elle était plus femme que Mia, par exemple, qui avait déjà une forte poitrine mais dont la silhouette gardait l'indécision d'une silhouette d'enfant.

Edmée avait surtout, pour étonner les gens, un visage aigu, très pâle. Ses cousins, ses cousines, les mariniers rassemblés avaient une peau plus ou moins irrégulière, un trait saillant, le nez camard ou camus, les lèvres trop épaisses ou les yeux trop rapprochés.

Or, le visage d'Edmée était aussi régulier et aussi mat que celui des jeunes filles que l'on voit, dans les boutiques de village, sur les calendriers en couleurs. Et elle ne riait pas comme ses cousines, ne détournait pas la tête si on la regardait ou si on parlait d'elle en flamand.

Tout le monde garda le silence quand le scaphandrier se laissa descendre dans l'eau, parmi les bulles d'air, et on entendit nettement la respiration des deux aides qui pompaient. Pour Edmée, ce fut une émotion dans le même genre que celle que lui donnait la mort des écureuils, en moins violent. Les chevaux morts étaient toujours là et un charretier eut le courage d'ouvrir la bouche de l'un d'eux pour regarder les dents en grommelant quelque chose.

On revit la tête de cuivre, qui disparut à nouveau. Il y eut des conciliabules entre l'ingénieur, les gens de la grue, Fred et le scaphandrier. Puis, tandis que des gens restaient là pour travailler, d'autres se dirigèrent vers la maison.

Jamais, dans le café habituellement vide, il n'y avait eu une telle rumeur. Mia servait, allait de table en table, versait de la bière ou du genièvre aux mariniers qui l'assaillaient de plaisanteries.

— Elle est laide et vulgaire ! décida Edmée.

Pour le dîner, on fit deux tables, une dans la cuisine

et l'autre dans le salon. Les femmes mangèrent dans la cuisine et c'est alors que Mia annonça à sa cousine :

— Il paraît qu'on a volé quelque chose à l'église.

Edmée ne broncha pas, resta naturelle, presque indifférente.

— Quoi ?

— Les pierres du ciboire. Mais ce sont des pierres fausses et le curé n'a même pas porté plainte.

Ce fut une déception, non que les pierres fussent fausses, mais que l'on traitât l'affaire si légèrement, ce qui la rendait pitoyable.

Deux ou trois fois Edmée sentit glisser sur elle le regard de la tante et cela la troubla beaucoup plus que les nouvelles du vol. Quand la tante parla, ce fut à Mia, qui dut traduire.

— Maman dit qu'il n'est pas convenable que tu passes toute la journée au canal avec les hommes.

Un flot de sang monta aux oreilles d'Edmée, qui répondit en se levant d'une détente :

— Dis-lui que c'est encore moins convenable qu'une fille serve à boire aux charretiers !

Et elle gagna la cour, la traversa, s'enferma dans la hutte où personne n'avait allumé de feu. Elle avait faim, car le dîner commençait à peine au moment de l'algarade. Elle avait froid. Et si elle était dans un tel état c'est qu'elle venait de sentir que, de toute la famille, il n'y avait que la tante à deviner quelque chose, la tante qui ne parlait pas un mot de français et qui ne sortait jamais de la maison !

Deviner quoi ? Edmée ne savait pas au juste. Mais il y avait quelque chose à deviner, quelque chose qu'elle ne définissait pas elle-même. Il y avait d'abord les écureuils, l'attitude de Jef et les pierres du ciboire.

Il y avait encore des choses plus imprécises. La veille au soir, dans son lit, à demi endormie, elle avait de ces choses-là un sentiment presque net, mais cela se traduisait alors, dans l'obscurité froide, par des formes, par des images biscornues, par des mots qui, en plein jour, n'avaient plus de sens. Edmée revoyait toutes les têtes autour de la table : les lèvres trop épaisses de Fred, au visage de travers ; le front difforme de Jef ; Mia qui avait de l'eczéma et qui, malgré ses seins et tout, à dix-neuf ans, n'était pas encore femme ; une des petites louchait. La famille prétendait que non, que ce n'était qu'une déviation momentanée du regard. Mais elle louchait ! Et la plus jeune était en retard de deux ans sur une enfant normale !

Edmée avait deviné, elle et elle seule, que le 1er janvier, quand l'oncle Louis avait pris Fred à part, c'était pour lui parler de ses inquiétudes et peut-être pour lui faire un sermon.

L'oncle, de son vivant, allait voir une femme à Hasselt, et Fred, à son tour, n'allait dans cette ville, à Liège et à Bruxelles, que pour voir de grosses filles.

Est-ce qu'Edmée les détestait tous ? Elle n'en savait rien, mais elle avait poussé Jef à voler les pierres du ciboire. Il est vrai qu'elle ne croyait pas qu'il le ferait et qu'elle avait été glacée des pieds à la tête quand il lui avait poussé les durs cailloux violets dans la main.

Maintenant, il n'était plus le même. Il la regardait en dessous, comme il regardait tout le monde. Et Fred, ce matin-là, après qu'on lui eut parlé d'Edmée d'un air équivoque, avait regardé, lui aussi, sa cousine avec d'autres yeux.

Quand elle y pensait en plein jour, dans la lumière blanche d'un ciel de pluie, cela ne voulait rien dire. Mais, les yeux fermés, dans la chaleur du lit, cela formait un grouillement de choses malsaines et méchantes.

L'après-midi, Edmée retourna au canal, non parce qu'elle en avait envie, mais pour punir sa tante et Mia. En outre, elle avait un plaisir physique à errer parmi ces hommes qui s'agitaient et à se comparer à eux, à subir leurs regards, à deviner leurs réflexions.

Elle était lasse, car c'était la quatrième fois qu'elle traversait les champs détrempés. Ses bas noirs étaient mouillés jusqu'aux genoux et collaient à ses jambes. Elle ne pouvait s'asseoir nulle part ; il fallait rester debout pendant des heures et quand la pluie cessait un moment on recevait les gouttes plus larges et plus froides qui tombaient des peupliers.

La déchirure de la péniche avait été bouchée avec des sacs. La grue avait soulevé le bateau et des pompes le vidaient, actionnées par les machines du remorqueur, avec un ronron continu et un bruit d'eau qui coule par saccades.

L'oncle Louis, Fred et l'ingénieur, ainsi qu'un agent d'assurances qui venait d'arriver, s'occupaient des dégâts occasionnés à la vanne. Pour les évaluer, on avait vidé tous les petits canaux des Irrigations et Edmée en comprenait ainsi le mécanisme. Il y avait plusieurs prises d'eau dans le grand canal, chacune commandée par une vanne que Jef manœuvrait à l'aide d'une clef spéciale. Le reste ressemblait au système des artères dans le corps. D'un canal de deuxième grandeur, les eaux gagnaient des canaux plus petits, qui se ramifiaient eux-mêmes en une multitude de rigoles.

Partout on pouvait arrêter l'eau ou la laisser passer. C'était Jef qui présidait à ces manœuvres et quand on le voyait ainsi, les épaules rondes, la tête ballante, allant à travers près d'une vanne à l'autre, déchaînant des remous ou vidant les canaux, il avait l'air du génie des Irrigations. L'oncle Louis lui-même, qui y était né, lui demandait conseil, car Jef savait qu'à tel engrenage il manquait une dent, que dans telle rigole il resterait de l'eau à cause d'une déclivité du sol et qu'ailleurs il y avait des loutres.

L'eau évacuée, on vit la vase noire du fond semée

d'objets qui étaient peut-être là depuis des dizaines d'années, des morceaux de fer, de poterie, un cercle de tonneau, un seau, une dizaine de mètres de câble et même un lit-cage.

On entendit soudain un bruit rythmé, accompagné d'un coup de sifflet. C'étaient les grues qui commençaient à tirer hors de l'eau l'avant de la péniche.

Quand tout le monde rentra, à la nuit, y compris les travailleurs que Fred avait invités à boire, Mia demanda à Edmée :

— Lequel est-ce ?

— Quel quoi ?

— Le scaphandrier ?

C'était un homme assez gras, à mine réjouie, aux allures d'ouvrier des villes, qui regardait autour de lui avec étonnement. Il n'était pas Flamand, mais Wallon, et on l'avait fait venir de Liège en moto. Il avait une bonne humeur jaillissante, n'était jamais cinq minutes sans lancer une plaisanterie.

Le café avait une autre vie qu'à l'ordinaire. A chacune des tables de pitchpin verni, il y avait au moins quatre hommes. Les femmes de mariniers avaient leur enfant sur les genoux. Une seule lampe à pétrole éclairait la pièce. Tout le monde parlait fort et cependant l'ambiance était sourde, feutrée. Seule Mia bougeait, allant d'une table à l'autre, en pantoufles de feutre et versant à boire.

— Tu n'es pas Flamande, toi ! dit le scaphandrier en se tournant vers Edmée.

— Non.

— J'aime mieux ça ! Ils commencent à me donner chaud avec leur patois, leurs mauvais cigares et leur éclairage à la noix. Au fait, si tu n'es pas Flamande, qu'est-ce que tu fais ici ?

Il avait une bonne figure. De la main, il attira Edmée à lui, tandis qu'elle répondait :

— Je suis la cousine.

— Ah ! bon ! Tu ne dois pas rigoler tous les jours, dis donc !

Sa main s'était posée sur la taille d'Edmée et, comme par inadvertance, elle descendait un peu, atteignait la hanche, insistait, plus vivante. Edmée ne bougeait pas. Elle était mal à l'aise, mais elle n'avait pas envie de partir et elle pensait à la grosse tête de cuivre qui s'était promenée sous les eaux.

— Tu ne veux pas boire quelque chose ? Qui est-ce, le patron, ici ? Le jeune avec son cuir ou le vieux à moustaches grises ?

Edmée rit nerveusement. C'était assez. Il lui fallait partir. Non loin de la lampe à pétrole, il y avait les yeux de Fred fixés sur elle.

— Attendez... Je crois qu'on m'appelle...

Elle évita le mouvement que l'homme fit pour la retenir. Elle ne savait où aller, ou plutôt elle eût aimé s'enfermer dans la hutte avec Jef, devant le grand feu de sapin qu'elle regarderait de ses prunelles écarquillées pendant qu'il taillerait un bout de bois en l'admirant à la dérobée. Mais Jef était parti à Neroeteren en voiture, car il n'y avait pas assez de pain pour le dîner ; il était parti sans rien lui dire, sans lui demander de l'accompagner.

Elle évita de traverser la cuisine et sortit. Il ne pleuvait plus. Le vent soufflait plus fort. Les nuages couraient très bas et on en distinguait tous les contours, grâce à la lune qui brillait derrière eux et qui parfois apparaissait pendant une seconde.

C'était dramatique, ces nuages qui couraient ainsi vers le bout du monde et Edmée se demanda si certains d'entre eux parvenaient à se rejoindre. Elle avait la nuque endolorie à force de lever la tête. Derrière elle, une gouttière faisait un bruit de robinet.

Soudain elle sentit une présence proche. Le temps

de baisser la tête et Fred était là, en veston noir, tout contre elle, avec un sourire qu'elle ne lui avait jamais vu.

— Tu prends le frais ?

Ses mains étaient blanches dans la nuit. Elles se levaient, hésitaient, saisissaient la tête d'Edmée.

— Drôle de cousine !

Il dit cela avec un attendrissement suspect et au même moment sa tête se rapprocha au point qu'Edmée ne vit plus que le nez. Une lèvre frôla la sienne cependant qu'elle se raidissait, ployait les reins pour éloigner son torse de la poitrine de Fred. Il sentait le genièvre, le cosmétique et la cheviotte mouillée.

— Fais pas la bête !... dit-il tout bas.

— Je crie !

Les visages étaient à moins de cinq centimètres et c'étaient les reins d'Edmée qui, en se raidissant, maintenaient cette distance.

— Tais-toi !

Elle répéta plus haut, si haut qu'on eût pu l'entendre du café :

— Je crie !

Il la lâcha soudain, haussa les épaules, grommela en flamand, puis en français :

— Petite sotte !

A trois mètres d'elle, il hésitait encore.

— Tu préfères les scaphandriers ?

— Oui. Et, s'il voulait, je...

Elle s'arrêta. Elle ne savait que dire pour se venger. Heureusement qu'il entrait déjà dans la maison. Une heure plus tard, elle rentra à son tour, parce que la pluie recommençait à tomber et qu'il n'y avait plus la moindre lueur au ciel, ni sur la terre.

Dans le café, des gens jouaient aux dominos, d'autres aux cartes. L'oncle Louis était reparti avec sa voiture. Mia, de table en table, ramassait les bouteilles vides et prononçait un chiffre.

— *Viif franks...*

Cinq francs ! Elle encaissait, cherchait de la monnaie dans la poche de son tablier noir, qui était un ancien tablier rose teint en noir.

Dans la cuisine, la petite fille des mariniers dormait sur les genoux de sa mère et le regard de la tante suivit Edmée qui gagna l'escalier pour monter dans sa chambre.

6

Le jour n'était pas tout à fait levé et un froid brouillard embuait l'espace quand retentirent trois coups de sifflet déchirants. Aux Irrigations, on était à table. Edmée, qui avait l'onglée, essayait de réchauffer ses doigts au-dessus du feu. Dans la blancheur opaque, au-delà des vitres, elle devina le remorqueur qui glissait le long de la digue, emportant la péniche blessée, et on eût dit que les deux bateaux ne touchaient ni au canal, ni à la terre, mais voguaient sur le brouillard même.

A leur suite, tous les autres bougeaient, gravitaient à leur tour, comme des jouets, sur la ligne d'horizon. Le canal se vidait. Vide aussi était tout à coup la maison, vide à la façon du corps et du cerveau d'un homme après une orgie.

Et chacun, sans savoir pourquoi, en ressentit un malaise. Il restait partout des traces de désordre. On avait beaucoup bu et les bouteilles s'alignaient par terre dans le café ; on avait poussé les verres cassés derrière le comptoir. Fred, en trois jours, avait été dix fois à un doigt de l'ivresse. Sa voix devenait alors plus sonore. Il gesticulait et apportait dans ses moindres phrases une conviction disproportionnée d'avec le sujet.

Maintenant, il était fatigué. Cela se voyait. Sa mère lui demanda quelque chose en flamand et il répondit en citant deux fois le nom de l'oncle Louis. Quand il partit, Edmée demanda à Mia où il allait.

— Il y a une grosse échéance, après-demain, et l'argent sur lequel on comptait n'est pas rentré. Mais l'oncle arrangera ça...

Et Mia entraîna sa cousine dans sa chambre, lui montra une poche de toile pleine de monnaie.

— Voici ce que j'ai gagné en trois jours : soixante-trois francs quarante !

Elle avait accepté les pourboires des clients. Déployant un journal flamand, elle montrait, à la dernière page, un cliché qui représentait un sac à main surmonté du prix : *42 francs*.

— Il est très beau ! Je vais écrire tout de suite et envoyer l'argent.

Chacun gardait ainsi de ces trois journées quelque chose de différent. Pour Mia, c'étaient des gros sous qu'elle transformerait en sac à main. Pour Fred, c'était la nostalgie d'être entouré, traité en grand patron, de parler avec assurance et de vider des verres de schiedam.

Quant à Jef, on ne le vit presque pas, car il avait décidé de refaire lui-même la maçonnerie de la prise d'eau. Il ne fuyait pas Edmée, mais il ne faisait rien pour s'en rapprocher. Il l'observait à la dérobée, semblait parfois sur le point de dire quelque chose, mais continuait à se taire.

Il n'y avait rien d'anormal, il ne se passait rien et pourtant, tous les soirs désormais, Edmée avait avant de s'endormir les mêmes pensées chaotiques. C'était une sorte de délire volontaire, qui remplaçait les écureuils. Les chambres n'étaient pas chauffées, les draps étaient glacés et pendant plusieurs minutes, malgré la bouillotte, Edmée claquait des dents dans l'obscurité.

Les images commençaient alors à l'assaillir. C'était presque toujours Fred qui ouvrait le cortège et qui la regardait avec gourmandise, les lèvres humides, en essayant de la frôler de ses mains. Car il l'avait fait deux fois, alors qu'il la croisait dans le corridor du premier étage. Il laissait traîner ses mains, c'était le mot, et elles insistaient au moment de toucher les hanches d'Edmée cependant qu'il souriait d'un sourire forcé.

Dans le cortège du soir, la tante venait tout de suite après Fred, et Edmée la voyait se diriger de son pas mesuré et timide vers le peuplier aux fausses pierres précieuses. Le reste variait, mais de peu. Ou bien Jef dépouillait une énorme bête qu'Edmée ne connaissait pas — n'était-ce pas un des chevaux de la péniche ? — ou bien il sautait d'un haut mur, car on avait appris que le voleur des pierres du ciboire était sorti par une fenêtre située à six mètres du sol.

Petit à petit, à mesure que la chaleur la pénétrait, Edmée organisait une ronde plus échevelée qu'elle ne pouvait plus arrêter, si bien qu'elle était sur le point de crier d'énervement.

Est-ce que l'oncle Louis ne refuserait pas de donner l'argent ? La grosse maîtresse de Fred, à Hasselt, viendrait faire du scandale. Les gendarmes emmenaient Jef qui remplissait une dernière fois ses poches de pommes de terre cuites sous la cendre.

La maison vacillait et chacun ne restait à sa place que par habitude. La preuve, c'est que la tante le sentait et qu'elle épiait les visages, comme pour deviner qui faiblirait le premier.

Le samedi, Edmée ne sortit pas, car elle avait un léger rhume. Vers le soir, assise près de l'âtre, la poitrine serrée dans son châle, elle pensa en regardant les flammes qui luttaient contre un reste de jour qu'elle n'irait pas le lendemain à la messe car, si elle y allait, elle devrait communier.

Se servait-on toujours du même calice, sans ses pierres ?

Elle n'était pas malade. C'était un début de grippe et, à force de se moucher, elle avait le nez rouge. De sa place au coin du feu, elle promenait sur les gens et les choses un regard plus flou. Quand il n'y eut plus que le foyer pour éclairer la cuisine, elle obtint presque, à l'état de veille, le décalage des images qu'elle ne réalisait d'habitude que dans l'intimité de son lit.

La tante tricotait. Mia, dès que le ménage était en ordre, allait chercher un panier plein de laides flanelles, de patrons en papier gris, et elle cousait avec une telle placidité qu'Edmée se rongeait les ongles.

Le dimanche matin, elle ne se leva pas. On s'habillait dans toutes les chambres et quand soudain, alors que le cheval était déjà attelé, Edmée pensa que Fred resterait à la maison, seul avec elle, elle eut si peur qu'elle faillit s'habiller. Mia vint lui demander si elle se sentait plus mal et lui proposer de la soigner.

— Non ! Je veux dormir...

Elle entendit à travers le plancher qu'on faisait la distribution de chocolat et qu'on prenait les livres de messe dans le bureau, puis la voiture s'éloigna.

Edmée n'avait plus envie de dormir, ni même de rester au lit. Elle ne voulait pas non plus descendre car, ce qu'elle détestait le plus dans la maison, c'était la cuisine. Elle se leva sans bruit et, pieds nus, se dirigea vers la toilette. Son nez n'était plus rouge. Elle se passa une serviette humide sur le visage, se peigna puis, après avoir arrangé son lit, se recoucha et attendit.

Rien ne bougeait dans la maison. Les bruits de la voiture s'étaient éteints depuis longtemps. A l'étable, le valet ouvrait la grande porte qui grinçait et laissait sortir les vaches. Est-ce que Fred dormait ? Après un certain temps, il y eut des frôlements à peine distincts, comme on en perçoit quand on tend toutes ses facultés vers un seul objet et qu'on finit par deviner jusqu'au vol des mouches. La preuve qu'Edmée ne se trompait pas, c'est qu'un verre fut heurté dans la troisième chambre, qui était celle de Fred. Elle eut très peur. Sa poitrine se soulevait lentement et elle serrait chaque sein dans une main, de toutes ses forces.

Quelque chose fit résonner une cuvette de faïence, probablement un peigne. Les chambres n'avaient pas de serrure. Edmée fixait la porte et le sang se retirait peu à peu de ses mains, de sa tête, pour affluer à son cœur.

Enfin, des pantoufles traînèrent dans le corridor. Oui, enfin, car elle n'avait plus le courage d'attendre ! Mais Fred resta un bon moment à écouter, l'oreille contre la porte, avant de tourner le bouton avec précaution. Il devait la croire endormie. Dès qu'il passa la tête, il rencontra son regard braqué sur lui et il eut des velléités de recul.

— Bonjour, cousine !

Il préférait sourire, de ce large sourire mouillé qu'elle lui connaissait. Il n'était vêtu que d'un pantalon noir et d'une chemise blanche, mais la raie de ses cheveux était déjà faite et le cosmétique dégageait son odeur fade.

— Cela va mieux ?

Elle ne pouvait pas répondre. Elle le voyait s'approcher ; elle se raidissait pour ne pas montrer sa peur et pourtant elle n'eût pas voulu être ailleurs.

— Tu ne désires pas que je t'apporte quelque chose de chaud ?

Elle n'avait qu'à dire oui et il irait allumer du feu en bas, préparer du café, ce qui demanderait du temps.

— Non !

Il s'assit au bord du lit, progressivement, comme prêt toujours à reculer.

— La grippe ?
— Je ne sais pas.
— Pourquoi es-tu si méchante ? Moi, voilà plusieurs jours que je pense tout le temps à toi...
Elle le savait : exactement depuis que les mariniers l'avaient remarquée et avaient parlé d'elle à Fred en s'accompagnant d'œillades.
— Moi pas !
Elle était en chemise de nuit, mais elle tenait les couvertures serrées sous son menton. Fred, assis en travers, devait pour se tourner vers elle s'appuyer de la main et cette main se trouva d'abord à dix centimètres d'une jambe d'Edmée.
— Tu es une drôle de fille !
— Je sais.
Elle était agressive. Son corps ne bougeait pas d'un dixième de millimètre.
— Tu n'as jamais été amoureuse ?
Il était ridicule. Il essayait de prendre une petite voix douce et gentille qui ne lui allait pas plus que le sourire mielleux qu'il avait adopté.
— Si tu voulais...
Sa main changeait de place, se posait comme par inadvertance sur le genou d'Edmée. L'épaisseur de trois couvertures les séparait et néanmoins elle croyait sentir la chaleur de cette main qui commençait insensiblement à la pétrir.
Edmée pensait aux photographies que Mia avait trouvées dans les poches de son frère et sa peur grandissait au point de la rendre livide. Elle ne protestait pas ; elle ne se décidait pas à mettre fin à son supplice. Encore un tout petit peu et elle battrait en retraite...
— Tu n'as jamais été serrée dans les bras d'un homme ?
Il avait la peau luisante, les traits grossiers, cet air

gêné et assuré tout ensemble qui le rendait pitoyable ou répugnant.

— Si !

Elle le haïssait tellement à cet instant qu'elle avait envie de le pousser à bout.

— Ce n'est pas bon ?

La grosse main montait, dépassait le genou, atteignait la cuisse mince en même temps que Fred se penchait, rapprochait sa tête de celle d'Edmée.

N'était-ce pas l'extrême limite ? Tout à coup, Edmée sortit ses deux mains des couvertures et griffa le visage de l'homme, rageusement, méchamment, en essayant d'y laisser des traces.

— Sale !... Sale !... Sale !... criait-elle.

C'est à peine s'il tenta de l'immobiliser. C'était impossible ! Elle avait la nervosité d'un jeune chat. Il dut se lever, battre en retraite. En passant la main sur sa joue, il constata qu'il saignait. Il sortit en claquant la porte. L'instant d'après, il murmurait à travers celle-ci :

— Tu ne diras rien ?

— Je dirai ce qu'il me plaira.

— Edmée ! Je t'en prie...

— Sale !...

— Je te jure que je voudrais...

— Je parlerai si cela me fait plaisir !

— Je t'en supplie !

Il ne pouvait la voir, assise sur son lit, le corps animé de sursauts, souriant d'un sourire gavé et savourant l'apaisement qui envahissait sa chair comme la chaleur du feu de bois.

Elle ne dit rien, mais elle s'amusa à regarder Fred avec ironie, tandis qu'on déjeunait, après que tout le monde fut rentré de la messe.

— Tu t'es blessé ? demanda Mia.

— Je me suis coupé en me rasant.

C'était bon et c'était inquiétant aussi. Tout était inquiétant, même la paix épaisse de la maison quand il n'y avait pas d'étranger pour casser le rythme trop régulier de la vie.

Il ne pleuvait pas ce jour-là. Il y avait même dans l'air de la poussière de soleil.

— Tu n'iras pas à la grand-messe avec Fred ? questionna encore Mia, qui était de mauvaise humeur parce que son sac, qu'elle avait espéré recevoir le samedi, n'était pas arrivé.

Ce fut un dimanche encore plus vide que les autres. Fred partit comme d'habitude et il ne vint personne, ni l'oncle Louis, ni un des gardes désireux d'une bouteille de bière ou d'un verre de genièvre. Nul cycliste ne passa sur le chemin. Il n'y avait pas une seule péniche sur le canal.

Le pâle soleil, qui parfois baissait comme une veilleuse sans huile, rendait plus sensible l'immensité du vide. Et il n'y avait même pas la chaude odeur du lapin ou de la poule qu'on cuisait chaque dimanche, car on avait trop de restes à manger.

Quand, le déjeuner à peine terminé, Edmée chercha Jef, elle ne le trouva pas. Il n'était pas dans la hutte, où il n'y avait pas de feu. Elle se dirigea vers le canal, croyant qu'il travaillait à la prise d'eau, mais il n'y était pas davantage. Alors elle se sentit terriblement seule. Elle ne savait où se traîner. Trois fois elle passa près du peuplier aux pierres violettes sans oser se baisser. La terre n'avait pas été remuée. Le morceau de bois qu'elle avait mis comme moyen de contrôle était toujours à sa place.

A dix heures, elle traversa la maison. Mia, au premier, faisait les chambres en chantant. La tante, près du foyer, habillait les petites.

La tante et Edmée ne pouvaient rien se dire. Les

petites non plus, car elles n'avaient pas encore appris le français. Elles se sourirent, d'un sourire qui voulait être affectueux, et Edmée erra dans les cours.

Le valet qui pansait le cheval ne parlait que le flamand, mais quand il vit Edmée ouvrir toutes les portes en cherchant quelqu'un il siffla et, de son étri, désigna le dernier bâtiment.

Elle n'y avait jamais mis les pieds. C'était la forge, où l'on ferrait les chevaux. On s'en servait si rarement que la double porte était toujours fermée. Or, ce dimanche-là, un filet de fumée s'étirait au-dessus de la cheminée.

Edmée entra, entendit de menus bruits comme si un homme surpris eût tenté de se cacher. Quand elle eut contourné un pan de mur, elle aperçut Jef qui perdait contenance.

— Que fais-tu ici ?

C'était la première fois qu'ils étaient vraiment seuls depuis le vol des pierres. Jef hésitait à la regarder et elle, de son côté, fit le tour de la forge dont le feu était allumé.

— Tu ne peux plus parler ?

Elle remarqua qu'il avait le regard fixe, mais ce n'était pas du tout à la façon de Fred. Au contraire ! Il semblait être sur le point de lui dire quelque chose de méchant, de lui lancer une injure !

Dans la poche du tablier de cuir qu'il portait, il prit un objet, s'approcha d'elle et, sans un mot, lui mit l'objet à dix centimètres du nez.

— Qu'est-ce que c'est ?

Cela ressemblait au bout d'un parapluie. C'était un morceau de métal, ou plutôt un assemblage de deux métaux. La tige devait être en fer et il y avait à l'extrémité une pointe d'une matière plus claire.

Jef regardait durement Edmée dans les yeux.

— Je ne comprends pas... balbutia-t-elle.

— Le paratonnerre !

Elle comprit encore moins et elle rit.

— Quelle tête tu fais ! Explique-toi !

— Le paratonnerre de l'église... La pointe est en platine...

Il disait cela sans emphase, laissait tomber durement les syllabes.

— Je suis allé le prendre cette nuit.

— Au-dessus du clocher ?

Et elle revoyait l'église flamande construite en briques, à la nef basse, comme écrasée sur le sol, à la tour aussi maigre et élancée qu'un pylône.

— Tu es fou, Jef ?

Elle le pensait. Il était trop grave et il avait surtout un air trop détaché, qui cachait mal une menace ou de l'amertume.

Il ne répondit même pas. D'un dernier coup de pince, il sépara le platine du support de fer et mit le métal précieux dans un récipient qui chauffait sur le feu de forge. Puis il alla à la porte, s'assura que personne ne venait et se dirigea vers le fond de l'atelier.

Jamais il n'avait ressemblé autant à un idiot de village. Tout, dans sa silhouette, était anormal, et pourtant son regard était ferme, volontaire. De dessous un tas de vieux fers, il tira un coffret en bois de la grandeur d'une boîte à gants. Sans rien dire, il le posa devant Edmée et alla surveiller sa casserole en manœuvrant le soufflet.

Edmée était déroutée. Le coffre, en chêne encore frais, était travaillé comme une dentelle, sans qu'un centimètre carré de bois restât sans sculpture. Jef avait dû copier sur les dessins de broderie de sa sœur des fleurs stylisées qu'il avait multipliées et entrelacées à l'infini. Au milieu du couvercle il y avait une lettre en creux, l'initiale d'Edmée.

— Jef !

Il ne répondit que par un grognement, car il était occupé.

— Qu'est-ce que tu veux faire avec le... le chose...

Il ne dit rien, activa son feu et quand le métal fut presque liquide il s'approcha, tenant la casserole avec des pinces. Ce qu'il voulait faire ? Incruster le bois de platine, remplir de métal les creux qui figuraient l'initiale. Il travailla devant elle, la sueur au front, le visage impassible. Ce ne fut ni pleinement réussi, ni tout à fait raté. Le bois brûla par places et noircit au bord de la lettre, tandis que le métal s'étalait à deux endroits, formant des pleins inattendus.

Malgré cela, le résultat était surprenant, extraordinaire aux yeux d'Edmée qui voulut emporter le coffre.

— Ce n'est pas fini. Il faut encore que je le cire...

Il avait toujours le même front têtu et son regard était si dur qu'on eût pu croire qu'il perpétrait une vengeance. Mais Edmée, qui avait peur de Fred, n'avait pas peur de lui. Il grognait et c'était tout ! Il n'aurait pas osé, lui, se pencher sur sa nuque pour y poser ses lèvres.

Il faisait des choses difficiles, périlleuses. Il volait les pierres du calice, grimpait la nuit, tout seul, au sommet du clocher puis, des heures durant, en se cachant, il travaillait comme un marin de voilier, patiemment, sculptant le bois à la pointe du couteau. Mais il ne la regardait même pas en face !

— Donne-le-moi tel qu'il est.

— Non. Ce n'est pas beau.

— Et si je trouve que c'est beau ?

Elle ne lui laissa pas la joie d'achever son œuvre, de la fignoler. Elle enveloppa le coffret dans son châle et voulut partir. Elle atteignait la porte, allait disparaître. Alors, quand même, elle se retourna pour lui crier :

— Merci, Jef !

Dans sa chambre, face à face avec le coffret, elle songea : « J'aurais peut-être dû l'embrasser ? »

Mais aussitôt elle se raidit et conclut : « Non ! ce n'est pas la peine. »

Elle projeta vaguement de remplir le coffret avec les pierres violettes et avec d'autres objets défendus que Jef lui apporterait. Elle y mit pourtant une photographie que Mia lui avait donnée et qui représentait Mia et Fred à la foire de Neroeteren. C'était un de ces portraits qu'on obtient en tirant à la cible. Mia souriait béatement. Fred, épaulant le fusil, fermait un œil.

Le soir, Edmée descendit comme une reine, dominant de l'escalier la famille déjà attablée. Fred n'osa pas la regarder. Jef, les coudes sur la table, mangea plus goulûment. Quant à la tante, le visage toujours terne, elle acheva son repas sans lever les yeux et les phrases flamandes qu'elle prononçait parfois restaient sans réponse comme elles étaient sans résonance.

7

Edmée avait la fièvre. La plus petite des cousines, Alice, était revenue de l'école avec la scarlatine. C'étaient l'air, le ciel, la terre qui étaient malsains. Il avait trop plu. Il pleuvait encore et l'on finissait par patauger dans la pourriture. A la maison, tout moisissait. On dut jeter la moitié d'un jambon et quand on se couchait c'était dans des draps mous d'humidité.

Mia prétendait que sa cousine avait la grippe, mais Edmée le niait afin de sortir quand même. A la vérité, elle ne savait pas ce qu'elle avait. Son rhume ne guérissait pas. Elle avait le nez de plus en plus rouge et sensible, les yeux luisants et une douleur sourde derrière les oreilles. Quand elle fermait les yeux, dans la chaleur, il lui semblait que sa tête était gonflée, et pleine de choses étranges, insaisissables.

Mais Edmée savait que son cas était plus compliqué qu'un rhume. Cela venait de loin ; cela avait même des racines dans sa plus petite enfance. Quand elle avait quatre ou cinq ans, elle était somnambule presque chaque nuit et elle se dressait en sursaut sur son lit, parlait d'abondance en regardant autour d'elle avec effroi, car la maison brûlait, ou bien les eaux montaient, ou c'était le mur qui se rapprochait et qui allait l'écraser.

Or, maintenant, elle parvenait à être somnambule

sans dormir. Elle fermait les yeux et des images se mouvaient dans sa tête. Certains soirs, elle ne pouvait pas s'assoupir tant elle était nerveuse, angoissée, et pourtant elle n'eût pu dire ce qui l'angoissait.

Elle avait la fièvre et elle l'entretenait. Par exemple, maintenant encore, elle était assise dans la hutte, devant le feu qu'elle avait allumé elle-même. Elle avait fermé la porte à clef et elle se remplissait les yeux de flammes jusqu'à en avoir le vertige. La chaleur du bûcher, dans sa chair, se mêlait intimement à celle de la fièvre et c'était à la fois voluptueux et effrayant.

Allait-elle avoir la scarlatine ? Cette idée lui faisait mal aux nerfs, car elle avait peur de la mort. Pourquoi n'envoyait-on pas Alice à l'hôpital ? Sans compter qu'elle était mal soignée et que le docteur ne pouvait venir qu'une fois par jour.

A la base des flammes, surtout quand elles jaillissaient d'une pomme de pin, il y avait une incandescence terrible. De vraies pointes de feu transperçaient les yeux d'Edmée, qui tenait son mouchoir en boule dans une main pour s'en tapoter les narines.

Elle n'avait pas vu Jef de l'après-midi. Elle ne savait pas où il travaillait, mais elle n'avait pas besoin de lui. D'ailleurs, il parlait de moins en moins et il avait des allures inquiétantes. Son regard, surtout, était aussi lourd qu'une main qu'on vous pose sur l'épaule et, lorsqu'elle le surprenait, Edmée avait le même sursaut que quand quelqu'un vous touche à l'improviste alors que vous vous croyez seul.

Quant à Fred, elle savait où il était. Enfermé dans le bureau où, bien qu'il ne fût que trois heures, il avait dû allumer la lampe, il faisait des comptes pour sa déclaration de revenus. Son regard, à lui, n'avait rien de mystérieux et pourtant c'était Fred qu'Edmée évoquait le plus souvent dans ses cauchemars, un Fred encore plus dru de chair, plus suant de santé. L'asymétrie de son visage s'accusait, ses yeux saillaient et il souriait de ce sourire mouillé, à la fois honteux et fat, qu'il affichait quand il rencontrait Edmée dans un corridor.

Cela n'avait pas échappé à Mia.

— On dirait que Fred est amoureux de toi !

Amoureux ! Est-ce que Mia ne savait pas aussi bien qu'Edmée ce que cela voulait dire ? N'avait-elle pas vu les blêmes photos dans les poches de son frère ? Ignorait-elle qu'il était incapable de passer une semaine sans aller à Hasselt ?

Eh bien ! cette semaine, il n'y était pas allé ! Il perdait son temps à se mettre sur le chemin d'Edmée et à chercher des moyens de l'attirer dans le bureau. Une fois il put, au passage, lui mettre la main sur la poitrine, juste sur le sein droit, et il parut étonné qu'elle ne fût pas tout à fait plate.

C'était au moins la vingtième fois qu'Edmée pensait à cette seconde-là, exprès pour retrouver le sursaut d'indignation qu'elle avait eu alors et surtout le raidissement instinctif de son être.

Elle avait chaud. Elle était ivre de fièvre, de lumière rouge et de chaleur. Ses oreilles bourdonnaient au rythme du ronron du feu.

Dehors, la pluie tombait, fluide et blanche. Les vitres n'avaient plus de transparence. Rien que de regarder les gouttelettes, Edmée sentait ses yeux s'humecter.

Dans ses membres, il y avait une impatience, un frémissement involontaire qu'elle appelait un pressentiment, car elle avait ressenti la même chose à la mort de son père, alors qu'elle ne savait pas la nouvelle.

A travers les gouttes d'eau, elle apercevait une petite lumière, à l'étage de la maison : c'était la chambre où l'on soignait Alice. En bas, il y avait une autre lampe près du dos penché de Fred.

Que pourrait-il arriver ? Le matin, elle avait eu peur,

en voyant un gendarme en vélo, mais il venait pour une formalité à propos d'un ouvrier agricole.

Edmée n'avait plus un regard pour les peaux d'écureuil et elle ne parlait plus à Jef d'en faire un manteau. Depuis huit jours, elle n'était même pas allée à l'endroit où elle avait enterré les pierres violettes au pied d'un arbre. Elle ne voulait plus savoir où elle avait mis le coffre aux initiales incrustées !

Elle couvait quelque chose, comme on avait dit d'Alice dont la maladie ne s'était déclarée qu'après deux jours d'accablement. Et maintenant elle avait tant pensé que les deux petits os, derrière ses oreilles, étaient sensibles. Ses yeux brûlés ne voyaient plus que des choses floues.

Elle se leva, traversa la cour sous la pluie et, dans le corridor, décrocha son manteau. Il y avait une raie de lumière sous la porte du bureau. Elle entendit Fred qui se levait, ouvrait cette porte.

— Où vas-tu ?

— Me promener.

C'était la première fois qu'il n'y avait personne dans la cuisine, car la tante et Mia s'étaient installées avec leur panier à couture au chevet d'Alice. Fred faillit dire quelque chose, se ravisa et Edmée en profita pour sortir.

Ce n'était pas encore le crépuscule, mais tous les contours étaient estompés. Edmée se dirigea vers le petit bois de sapins, celui où Jef avait tué devant elle le premier écureuil et où, depuis, on avait coupé du bois qui était rangé par stères sous les arbres.

Elle sentait que Fred était derrière elle. Elle n'avait pas eu besoin d'entendre le grincement de la porte. Elle avait peur, mais elle ne faisait pas demi-tour. Les peupliers qui découpaient les prés en rectangles étaient lugubres avec leur tronc mouillé qui devenait d'un noir d'encre. Quant au canal, il changeait de couleur chaque jour, à chaque heure, et maintenant que tout était sombre il était, lui, plus clair que le ciel, tout uni, d'un blanc moiré.

Edmée entra dans le bois sans se retourner. Elle eut un frisson au moment de s'engager dans l'ombre des arbres mais, les nerfs tendus, elle marcha jusqu'aux branches coupées qui formaient des tas réguliers.

Il faisait presque sec. La pluie ne traversait pas le dôme noir des sapins, sinon par endroits où des gouttes d'eau tombaient une à une et formaient des petites mares parmi les aiguilles rousses.

Elle s'assit sur les bûches. Elle ne voulait pas tourner la tête vers la maison, car elle savait que Fred arrivait. De sa place, elle pouvait encore deviner plutôt qu'apercevoir la petite lueur de la chambre d'Alice.

Sous les sapins, les pas ne faisaient pas de bruit et soudain Edmée sentit que Fred approchait, qu'il était tout près d'elle, si près qu'il éprouva le besoin de parler pour la rassurer.

— Tu rêves à ton amoureux ?

Elle se retourna brusquement, le regarda dans les yeux. Il était plus troublé que d'habitude et on eût dit qu'il avait passé lui aussi des heures à contempler les flammes. Il s'assit à côté d'elle. Elle recula. Il se rapprocha encore.

— Que me veux-tu ?

Elle avait plus peur que le jour où il était venu la voir dans sa chambre et la terre, elle aussi, était plus détrempée que ce dimanche-là, la nature plus triste, plus découragée. Et il y avait Alice malade, la cuisine vide, Jef qui errait tout le temps dehors et qui ne venait même plus dans la hutte !

— Pourquoi es-tu si méchante avec moi ?

— Je ne suis pas méchante.

Elle devina que le bras de son cousin se levait pour lui entourer la taille et elle fut incapable de bouger.

C'était la même sensation d'impuissance que dans ses rêves, quand elle était rivée au sol par la lourdeur mystérieuse de ses jambes.

— Je ne pense qu'à toi toute la journée ! Je ne fais plus rien de bon ! Tu es si différente des autres filles...

Malgré tout, il y eut un sourire sur les lèvres d'Edmée. Il avait donc remarqué qu'elle était différente des autres ?

Il avait un genou contre la jambe de sa cousine qui était aussi tendue que la corde d'un arc, insensible à force de raideur.

— Je dors mal !...

Il lui prit la taille, raidie comme la jambe, et il essaya de l'attirer à lui. Elle résista tandis qu'il balbutiait, bouleversé, rouge, presque cramoisi, tellement gonflé par le désir que son sourire s'effaçait pour faire place à une volonté méchante.

Ce fut soudain, dans un regard, qu'Edmée se rendit compte de ce changement et elle fut prise de panique, s'agita pour se dégager tout en haletant :

— Non ! Laisse-moi... Non !...

Le visage de Fred se rapprochait toujours du sien. Ses mains montaient le long du torse, atteignaient un sein qu'elles pétrissaient.

— Tu me fais mal !

Elle avait aussi peur que dans ses pires cauchemars. Elle ne savait plus où elle était, ni ce qui se passait. Elle avait peur ! Elle voulait fuir ! Elle voulait crier et elle n'y parvenait pas ! A ce moment encore, elle aperçut la petite lueur à la fenêtre de la maison mais c'était peut-être une hallucination.

— Je ne veux pas !

Une main de Fred écrasait son sein ; l'autre main glissait partout sur le corps d'Edmée, frôlait le genou, remontait sous la robe. Il y eut, terrifiant, le contact de cette main avec la chair, juste au-dessus du bas.

— Je ne veux pas !

Elle était à demi renversée sous lui. Elle sentait les bûches lui casser les os et la main qui s'acharnait gauchement.

Elle rit tout à coup, d'un rire crispé, maladif. Elle rit pendant que cette grosse main se perdait dans le linge, tâtait partout, balourde, et que Fred s'impatientait.

Elle voyait ses yeux fixés sur elle avec égarement. Ils devenaient de plus en plus méchants et Fred grogna comme une bête qui se heurte partout à des obstacles.

Elle riait toujours. Son rire lui faisait mal dans la gorge. En même temps, elle arquait les reins au point d'avoir la tête plus bas que le ventre et tout son corps dur comme du fer.

— Laisse-moi !

Elle ne pouvait plus arrêter ce rire. Il l'entraînait comme une pente. Elle avait toujours envie de fuir, de sangloter, de se jeter par terre pour pleurer. Et elle riait, incrustait ses ongles dans la nuque violette de Fred !

Soudain elle se tut et ce fut net comme une cassure dans du marbre. Fred s'immobilisa aussi. Il y avait eu un autre rire, tout près, en même temps qu'un froissement, qu'un frémissement de vie.

Pour se dégager, Fred fut si maladroit qu'il roula par terre, dans les aiguilles de pin, en entraînant sa cousine. Quand il se redressa, des aiguilles étaient accrochées à son vêtement et à ses cheveux.

Il cherchait autour de lui ce qui avait ri, si près qu'il ne s'en rendit compte qu'après avoir fouillé longtemps la pénombre du bois.

C'était un tout petit garçon, aux sabots vernis, au béret de tricot rouge, un châle serré autour du torse. Il avait une drôle de tête fruste, des pommettes colorées, une large bouche et dans ses yeux bleus une malice aiguisée.

Quand Fred voulut le saisir, il fit un bond en riant

toujours et pendant quelques instants on put croire qu'il ne serait pas rattrapé. Il lançait des phrases moqueuses en flamand, répétant le même mot avec obstination, et il le dit encore quand la main de Fred s'abattit sur son cou.

Mais Fred, lui, ne riait pas. Il était exagérément tragique, peut-être pour paraître moins ridicule. Il secouait le petit bonhomme, à cinq mètres d'Edmée, et grondait une phrase qu'elle traduisait par :

— Promets que tu ne diras rien !

C'était Edmée que le bambin regardait d'un air complice.

— Promets que tu ne diras rien !

— *Neen...*

Non ! Il lui lançait ça en plein visage, avec crânerie. Il ne croyait pas au danger. Il riait ! Peut-être une force obscure le poussait-elle comme elle avait poussé Edmée ?

— Promets !

— *Neen !...*

— Tu parleras ?

L'enfant prenait Edmée à témoin. C'était vraiment un drôle de petit homme, dont les traits enfantins avaient déjà des expressions de grande personne. Quand il cherchait les yeux d'Edmée, il se faisait câlin, presque amoureux.

— A qui diras-tu ?...

Elle ne faisait que deviner le sens de ce dialogue.

— A tout le monde !

Et Fred le secouait.

— Je te donnerai cinq francs...

— *Neen !...*

Edmée rit à nouveau, convulsivement. C'était sa peur qui coulait au moment où elle s'y attendait le moins. Elle riait de son cousin, de cette scène ridicule, de leur position à tous et Fred s'obstinait à secouer le gosse.

— Je te dis que tu te tairas !

— *Neen !...*

Le rire d'Edmée gagnait le petit. Il se sentait encouragé. Il était en proie, lui aussi, à la fièvre.

— Tu te tairas ?

— *Neen !... neen !... neen !...*

Pour poser la question une dernière fois, Fred souleva le bout d'homme jusqu'à hauteur de sa tête.

— *Neen !... neen !... neen !...*

On ne pouvait plus savoir si c'était un rire ou un sanglot et à ce moment précis le rire d'Edmée s'arrêta, car elle sentit venir le drame et en même temps elle comprit qu'il était déjà trop tard.

Fred, crispé, honteux, affolé, jetait littéralement l'enfant sur le sol en poussant un juron flamand.

Le corps tomba moitié sur une souche de sapin, moitié sur les aiguilles molles. Mais, sur la souche, c'était la tête qui avait porté. Le gosse ne riait plus. Son corps bougeait, doucement, au ralenti. Une de ses mains alla jusqu'à son visage, mais s'arrêta à un centimètre de celui-ci et on entendit un son vague, un mot qu'on ne comprit pas, ou seulement une plainte.

Edmée tenait ses deux seins dans ses mains. Fred était plus grand, plus gros que d'habitude. Tête basse, il fixait l'enfant et il lui dit quelque chose, hargneusement encore. Il n'y eut pas de réponse. Il fit un pas, parla plus doucement, d'une voix qui n'avait plus son timbre.

Ce fut Edmée qui cria sans savoir, parce que cette pensée venait d'entrer en elle :

— Il est mort !...

Du sang perlait sur les cheveux blonds du gamin. Le bonnet de tricot rouge était par terre et un sabot restait accroché au petit pied tordu.

Fred se passait les mains sur le visage. Il n'osait plus s'approcher et il faillit s'enfuir quand une main du gosse bougea une dernière fois, de quelques millimètres.

Ils n'étaient pas deux, ils étaient trois à contempler le corps. Fred et Edmée s'en aperçurent quand Jef, que personne n'avait entendu venir, traversa la clairière pour se pencher sur le gamin.

Ce fut un soulagement. Lorsque Jef se redressa, il regarda vers la maison où la petite lumière piquait la nuit qui tombait. Fred, accoudé au tronc d'un arbre, pleurait soudain, bêtement. Son costume était encore couvert d'aiguilles de pin.

Jef, qui se balançait comme un ours au milieu de la clairière, finit par parler à Edmée sans se tourner vers elle.

— Il faudrait rentrer, ne rien dire ! Surtout ne rien dire !...

Du coup, Fred leva la tête, bégaya :

— Qu'est-ce que tu veux faire ?

— Il faut d'abord qu'elle rentre et qu'elle se taise !

Edmée était si molle qu'elle avait peine à marcher. Il lui semblait que si elle continuait à regarder le corps un ressort casserait en elle.

— Qu'allez-vous faire ? dit-elle comme un écho à la voix de Fred.

— On verra...

Elle se sauva. Elle était à bout. Elle ne sut même pas par quelle porte elle entrait dans la maison. Dans la cuisine, le feu était éteint mais, dès qu'elle marcha sur les dalles, une porte s'ouvrit, en haut, et la voix de Mia prononça :

— C'est toi, Edmée ?

— Oui.

— Tu ne veux pas rallumer le feu ? Je dois soigner Alice et il va être l'heure de dîner...

Edmée chercha un morceau de papier, des brindilles. Elle erra longtemps dans l'obscurité sans trouver d'allumettes, puis sa main en rencontra sur la cheminée.

Elle avait froid. Les flammes qui montèrent lui firent presque peur et la voix de Mia cria encore :

— Mets d'abord de l'eau à bouillir !

La pompe grinça. On sentait à chaque coup une aspiration difficile comme un souffle de malade. Edmée se disait qu'à un moment donné elle tomberait par terre, évanouie, et qu'on la retrouverait ainsi, immobile sur les carreaux gris de la cuisine. Mais elle ne s'évanouit pas. Mia descendit, nettoya les légumes pour la soupe, en donnant des nouvelles d'Alice qui avait eu le délire.

La porte d'entrée s'ouvrit. Des pas gagnèrent le bureau. Sans se montrer, Fred appela :

— Edmée !

Il s'efforçait d'avoir une voix naturelle. Edmée faillit ne pas répondre, se cacher dans un coin, ou aller s'enfermer dans sa chambre. Elle entra pourtant dans le bureau où la lampe était restée allumée. Fred achevait de remettre ses cheveux en ordre. Sur la table, il y avait des factures et un livre de commerce ouvert.

— Jef conseille de ne rien dire. Ferme la porte. Ce sont des gens qui ont treize enfants et qui sont sans ressources. Il était sûrement là pour voler du bois...

Elle ne pouvait pas parler. Elle fixait la pipe de Fred, qu'il avait posée au bord de la table au moment de s'en aller.

— Cette nuit, Jef et moi, nous nous arrangerons...

Elle était trop lasse. Chaque chose qu'elle voyait prenait des proportions monstrueuses, s'animait d'une vie hostile. Et toujours il y avait entre ses yeux et les objets la tache informe du béret rouge.

— Est-ce que je peux compter... ?

Solennel, il s'avançait vers elle, mais c'était impossible de vivre cette scène-là jusqu'au bout et elle sortit en balbutiant sans s'en rendre compte :

— Oui !... C'est bon !... C'est bon !...

Elle avait mal au cœur. Elle avait mal au cœur. Elle crut qu'elle allait rendre son déjeuner et, dans la cuisine, Mia coupait de grandes tranches de lard gras.

— Qu'est-ce que tu as ?

— Moi ? Rien...

— C'est Fred ?

— Non. Je pense que je suis malade.

Mais elle ne voulait pas monter dans sa chambre, où elle serait toute seule. Elle préféra s'asseoir au coin du feu, sur le tabouret bas, la tête entre les mains, et aussitôt elle fut prise de frissons tandis que Mia épluchait les pommes de terre et que l'horloge comptait éperdument les secondes.

8

La porte se referma doucement et Edmée entendit les pas du docteur dans le corridor, puis dans l'escalier. Elle savait qu'il entrerait ensuite dans la cuisine et que la tante déboucherait le cruchon d'eau-de-vie. Le murmure commença sous le plancher et Edmée, repoussant les couvertures, mit ses pieds nus à terre. Ainsi assise au bord du lit, elle pouvait se voir dans la glace et elle s'adressa à elle-même un sourire mièvre de malade.

Elle se trouva jolie, émouvante. Son teint était encore plus mat que jadis et ses cheveux étaient devenus irréels de finesse. La chemise de nuit découvrait le bout d'un sein et Edmée le regarda gravement, sourit encore, car il avait changé, lui aussi, était devenu plus rose, plus vivant : on eût dit qu'il fleurissait.

Il faisait très clair. Quand elle fut à la fenêtre, où elle avait l'habitude de s'agenouiller sur une chaise, le front contre la vitre, elle découvrit juste à la cime des peupliers un soleil d'un jaune de bonbon acidulé.

Et c'était tout le paysage qui avait des tons de bonbon. L'herbe, à l'infini, était d'un vert tout pâle, tout neuf, tout frais. Dans le verger, les fleurs des pommiers se teintaient à peine de rose. La nature avait les acidités de l'enfance. Les minces canaux eux-mêmes, qui découpaient la verdure en rectangles, avaient un aspect clair, aigrelet, comme si l'eau eût été non seulement froide mais sapide.

On avait installé un poêle dans la chambre et Edmée savourait le contraste entre la chaleur lourde et la fraîcheur qu'elle devinait dehors quand elle collait ses tempes à la vitre. Des vaches broutaient dans le premier pré. Beaucoup plus loin, des moutons marchaient serrés les uns contre les autres.

Était-on fin mars ou au début d'avril ? Elle ne savait pas au juste. Tous les jours se ressemblaient et elle avait été vraiment malade.

Elle ne voulait plus y penser, ni regarder le petit bois, ni surtout suivre des yeux le réseau de canaux partant de la prise d'eau et irriguant tous les terrains. Mais elle y pensait sans cesse et c'est peut-être grâce à cela qu'elle parvenait à rester malade quand même.

Car elle voulait être malade ! Elle ne voulait pas guérir, ni surtout revivre dans la maison, parmi les autres. Elle se calfeutrait dans son coin, dans son lit, dans sa chambre où elle s'était créé petit à petit un décor intime. Il lui fallait peu de chose. Une fleur du papier peint, par exemple, celle qui était devant sa tête, un peu au-dessus, quand elle était couchée, avait une tache rose de plus que les autres. Or, en fermant à demi les yeux, c'était exactement la tête de l'oncle Louis, si vivante qu'on était tout étonné de ne plus la reconnaître quand on ouvrait les yeux tout grands.

Dans la fonte du poêle, il y avait des nuages clairs et une fente dessinait le clocher d'une église. Au surplus, Edmée avait une grande boîte avec ses objets personnels et, presque chaque jour, elle les maniait un à un.

Le docteur ne comprenait pas que la guérison fût si lente car, en somme, elle n'avait eu qu'une bronchite. Alice, par exemple, avait guéri de la scarlatine en trois semaines et depuis longtemps elle retournait à l'école avec ses sœurs.

Mais le médecin ne savait pas. Personne ne savait. Edmée les regardait avec une pointe de pitié car ce qui était étonnant, injuste, c'est qu'elle n'ait eu qu'une bronchite !

A n'importe quel moment, quand elle le voudrait, elle n'aurait qu'à se coucher et penser à certaine chose pour faire de la température. Et elle le ferait à la prochaine visite du docteur, pour ne pas l'entendre dire :

— Je crois que maintenant vous pourriez descendre vous distraire avec vos cousins et cousines.

Non ! Elle ne pouvait pas se distraire avec eux. C'était trop terrible !

Le soir du petit garçon, comme, en elle-même, elle appelait ce soir-là, on avait soupé sans la tante, parce qu'Alice avait une forte poussée de fièvre. On l'entendait parler, d'en bas, dire en flamand des mots sans suite. Fred et Jef mangeaient sans un mot, en fixant la table. Quant à Edmée, elle n'avait pas touché à la nourriture et Mia avait été la seule à parler sans se rendre compte qu'il se passait quelque chose d'anormal.

Une fois dans sa chambre, Edmée s'était assise sur son lit, dans l'obscurité, tout habillée. Elle avait commencé à guetter les bruits. Elle savait que Fred et Jef devaient sortir et elle devinait pourquoi. Or, elle voulait les accompagner. C'était un besoin.

Chacun était dans sa chambre et devait tendre l'oreille comme elle, en attendant que la maison fût endormie. Chose curieuse, la tempête avait soudain cessé. On apercevait parfois la lune entre deux nuages floconneux et il n'y avait plus de pluie, hormis les gouttes qui tombaient du toit sur l'appui des fenêtres.

Alice avait parlé longtemps. La tante, à son chevet, avait dû s'endormir. Edmée s'était assoupie aussi sur le bord du lit et, quand elle s'était dressée en sursaut, elle n'avait entendu aucun bruit.

Elle avait eu peur. Elle s'était précipitée à la fenêtre et de là, en écarquillant les yeux, elle avait aperçu une toute petite lumière qui bougeait dans les prés.

Elle savait ce que c'était. Elle n'avait même pas pris la peine de mettre son châle. Elle était sortie sans bruit et dehors elle avait eu peur à nouveau, peur de tout, de la solitude, de l'obscurité, des choses qui se passaient dans la plaine. Elle avait couru à perdre haleine à travers les prairies détrempées où ses pieds enfonçaient. Parfois elle ne voyait plus les lumières et la panique s'emparait d'elle à l'idée de rester seule.

Elle haletait. Elle ne pensait plus à rien qu'à rejoindre ses cousins, ou même n'importe qui. Derrière elle, la maison était toute noire, comme sans issue.

Soudain, beaucoup plus tôt qu'elle le pensait, elle s'était heurtée à Fred qui avait fait :

— Chut !...

Et elle n'avait plus remué. Elle avait l'impression d'être enfermée dans un bloc de glace diaphane. Elle regardait de tous ses yeux. Elle écoutait. Elle grelottait.

On était à la prise d'eau, au pied du talus du grand canal. Jef et Fred se dressaient à deux mètres l'un de l'autre et Edmée chercha à savoir ce qu'ils regardaient ainsi sans bouger, sans rien dire. Bientôt elle perçut un murmure d'eau courante et remarqua que le liquide noir coulait dans l'étroit chenal. Elle chercha des yeux le corps du gamin, mais elle ne vit rien qu'une bêche que les cousins avaient apportée.

C'était irréel. Fred et Jef vivaient-ils encore ? N'étaient-ils pas plutôt deux fantômes ?

L'eau courait. Le niveau baissait. Mais une grande heure se passa sans un geste, sans un mot, une heure glaciale, perfide. Alors seulement Jef s'agita et l'habitude de l'immobilité était si bien prise que cela parut anormal. Il dit :

— Ça y est !

Rien d'autre ! Il n'y avait plus d'eau dans le petit canal. On voyait la vase du fond et Jef descendit avec la bêche, creusa un trou oblong, lentement, tandis que Fred ne bougeait toujours pas.

Jef avait de la boue jusqu'aux genoux et il enfonçait toujours. Derrière lui, une vieille boîte à conserve était incrustée dans la vase.

— Ça y est ! répéta-t-il.

Et Edmée, qui était près de Fred, sentit que celui-ci sursautait, échappait à l'étreinte du silence et de l'immobilité. Mais il devait faire un effort pour marcher. Il parcourut à peine trois mètres, se pencha, se redressa avec quelque chose dans les bras, cependant qu'Edmée s'enfonçait le poing dans la bouche.

Tant que Fred n'eut pas tendu son fardeau à Jef, tant que celui-ci n'eut pas couché le corps dans le trou, Edmée fut incapable de respirer et c'est alors qu'elle comprit qu'elle allait être malade. Elle le voulait ! Elle voulait avoir la fièvre, pour ne plus penser !

Elle avait froid, mal à la tête et à la gorge. Pendant quelques instants, elle ne vit rien, bien que ses yeux fussent toujours ouverts, et quand elle reprit conscience des choses Jef ouvrait la vanne d'où l'eau jaillissait en bouillonnant.

Pourquoi Fred, après quelques pas, se couchait-il par terre, de tout son long, sur le dos ? Il resta ainsi trois longues minutes, se releva en gémissant et ce n'est que plus tard qu'Edmée comprit qu'il avait failli s'évanouir.

C'était fini ! L'eau reprenait son niveau, clapotait encore un peu en renvoyant des rayons de lune. On marchait pesamment, dans les prés mous, vers la maison obscure. Dans le corridor, chacun, sans rien dire, retira ses chaussures.

Le lendemain, Edmée était malade, toute rouge, toute brûlante dans son lit, fixant le docteur de ses yeux brillants. Elle avait grelotté tout le reste de la nuit et maintenant encore elle se mettait parfois à claquer des dents sans pouvoir s'arrêter.

— J'espère que ce ne sera qu'une bronchite.

Elle entendit. Car elle entendait tout, voyait tout, se rendait compte de tout ! Ce n'était pas une bronchite qu'elle voulait avoir, mais une maladie très grave, une méningite par exemple ! C'est pourquoi elle s'efforçait de penser sans cesse au petit bois et au canal.

On lui faisait boire des sirops, du thé bouillant et elle sentait que son corps était devenu incandescent comme le feu qu'elle contemplait la veille jusqu'à en avoir le vertige. Elle transpirait. Le lit s'imprégnait de sa vie, de sa chaleur, de son odeur. Après trois jours, le médecin dit à mi-voix à Mia :

— Tout va bien. J'avais craint une pneumonie, mais le danger me paraît écarté.

Alors Edmée voulut avoir une pneumonie. Une fois seule, elle se leva, vacillante, et des petites taches brillantes dansaient devant ses yeux. Elle remplit d'eau sa cuvette et s'y mit debout, en chemise. L'eau était glaciale. Son corps était tout chaud. Elle sentait le froid qui montait, atteignait les chevilles, puis les genoux.

Mais elle n'eut pas de pneumonie ! La bronchite n'en fut même pas aggravée, ce qui n'empêchait pas le docteur d'être inquiet, car maintenant Edmée était molle, sans réflexes, et refusait de quitter le lit.

C'est pendant ces premiers jours que les objets, dans la chambre, s'étaient mis à vivre et qu'Edmée avait découvert l'oncle Louis dans une fleur de la tapisserie.

Maintenant, elle peuplait exprès tous les coins. Elle se créait des habitudes, comme d'être chaque jour à la fenêtre lors de l'arrivée du facteur, qui avait un vélo nickelé. Elle était persuadée que, tant qu'il n'apporterait pas un pli officiel orné de cachets rouges, il n'y aurait aucun danger.

Il y avait déjà deux mois de tout cela. Edmée n'y pensait plus de la même manière. Elle avait même une certaine paresse à se rappeler les détails de la scène du bois.

Ce qui la hantait, c'était le bruit de l'eau qui, dans la nuit, reprenait sa place, et tout le jour elle avait sous les yeux les canaux argentés qui s'étiraient, rectilignes, dans la verdure pâle.

L'eau était si claire que des gens devaient avoir envie d'en boire dans le creux de la main, comme à une source. Et pourtant, avant d'arriver dans les rigoles, elle passait sur...

De cela aussi, de sa forme, de son aspect physique, elle se souvenait à peine, mais elle revoyait nettement le béret de grosse laine rouge et elle entendait la voix enfantine qui répétait dans un rire :

— *Neen !... neen !... neen !...*

D'abord, elle n'avait voulu recevoir ni Jef, ni Fred. Mais, un jour qu'elle s'éveillait, elle trouva Fred dans l'entrebâillement de la porte, piteux, hésitant, si humble qu'elle lui fit signe d'entrer. Il n'avait pas maigri, n'était pas devenu plus pâle. Ce n'était pas sa faute si sa chair était si drue, si vivante. Mais il ne s'agitait plus avec la même exubérance.

— Il y a longtemps que je veux te demander pardon.

Alors Edmée comprit pourquoi il la regardait avec pitié. Elle devait être toute menue dans le lit et Fred croyait qu'elle allait mourir ! Il était malade d'attendrissement, au point qu'il dut détourner la tête pour cacher ses yeux mouillés !

— Je te demande pardon...

Elle ne dit rien, feignit d'être lasse, incapable de parler. Elle esquissa un geste dolent et ferma les yeux, tandis qu'il restait là, troublé, à la contempler, puis qu'il s'en allait sur la pointe des pieds.

Deux jours plus tard, comme il revenait de Hasselt, il lui apporta une paire de mules en cuir bleu avec des dessins dorés. Il entra sans bruit, tôt matin, sans savoir qu'elle l'observait à travers ses cils, posa les mules sur la descente de lit et sortit à reculons.

La tante montait au moins deux fois par jour. C'est elle qui apportait le plus souvent le bouillon de poule et elle avait appris quelques mots de français, qu'elle prononçait sans pouvoir en faire des phrases.

Mais était-elle bien sincère quand elle prenait un air apitoyé ? N'avait-elle pas une arrière-pensée ? Edmée avait peur de son regard pâle qui ne se fixait jamais longtemps sur elle et qui fuyait son regard.

Par surcroît, la tante avait l'habitude de circuler sans bruit, car elle laissait ses sabots au pied de l'escalier. Une fois, Edmée qui était à la fenêtre l'entendit au moment précis où elle ouvrait la porte et eut juste le temps de se jeter, haletante, sur son lit. La tante s'en aperçut-elle ? En tout cas, elle n'avait rien dit. Elle avait remué le bouillon avec la cuiller pour le faire refroidir et elle avait soutenu les épaules d'Edmée qui buvait.

Il n'y avait que Mia à rester tellement la même que c'en était fatigant. Elle avait reçu son sac à main, qui contenait de la poudre, du rouge à lèvres et du rouge pour les joues, et c'est dans la chambre d'Edmée, devant le miroir, qu'elle avait essayé de s'en servir.

Elle parlait tout le temps. Elle riait. Elle racontait que le fils du maréchal-ferrant lui avait remis un billet à la sortie de la messe et voulait l'épouser. Les fards rendaient sa figure inhumaine, lui enlevaient jusqu'à son âge. Et elle parlait encore ! Elle demandait à Edmée la permission de fouiller dans la boîte en carton, s'extasiait sur tous les objets, essayait un col de fine dentelle qu'Edmée avait hérité de sa mère.

— L'oncle Louis dit que tu fais de la langueur et que, ce qu'il te faudrait, c'est un changement d'air.

Edmée la regardait avec inquiétude, se demandait ce que cela signifiait et si on voulait se débarrasser d'elle.

L'oncle Louis vint la voir aussi, trois ou quatre fois. Il s'asseyait près du lit et continuait à fumer son cigare en la regardant paternellement.

— Cela va mieux ?

— Je ne sais pas.

— Essaie de me dire exactement où tu as mal. Moi aussi, j'ai fait un peu de médecine, comme ton père, et vois-tu, il me semble que tu te laisses aller. Tu devrais réagir !

La première fois qu'il lui dit cela, Edmée pleura, sans savoir pourquoi, et il fut tout ennuyé, chercha gauchement à la consoler.

— Là ! Là ! Je n'ai pas voulu te faire de peine. Est-ce que tes cousins sont gentils avec toi ?

— Oui.

— Alors, il faut regarder les choses en face.

La tante lui avait-elle parlé ? Il avait un regard insistant qui gênait Edmée.

— Ma sœur fait tout ce qu'elle peut. C'est un grand malheur que son mari soit mort, car, dans une maison comme celle-ci, il faut un homme. Fred est un bon garçon...

Il se leva brusquement.

— Allons ! Du courage, petite ! Et surtout de l'énergie, que diable !

Mais, quand il était parti, Edmée redevenait froide et lucide, regardait le plafond et se promettait de ne pas guérir.

C'était encore Jef qui venait le plus rarement la voir. Il est vrai qu'une fois dans la chambre, il ne savait où se mettre et sautait sur le premier prétexte pour s'en aller. Ou encore, afin de se donner une contenance, il rechargeait le poêle jusqu'à la gueule, tisonnait violemment, déclenchait une pluie de charbons rouges.

Un jour, il lui apporta un couvre-pieds qu'il avait confectionné avec des peaux de putois et Mia le regarda avec envie, car elle avait cru que les peaux serviraient à lui faire une fourrure et un manchon. Or, Jef apporta la couverture en présence de sa sœur. Il ne venait jamais quand Edmée était seule.

— Tu vas encore dans la hutte ? questionna celle-ci.

Ce fut Mia qui répondit :

— Il y passe la plus grande partie de ses journées. Je ne sais pas ce qu'il fabrique !

C'était la seule chose qu'Edmée regrettât : la hutte, avec le feu de sapin qui brûlait les yeux et remplissait la poitrine d'une odeur grisante.

Mais elle s'arrangeait autrement, exigeait que la fonte du poêle fût toujours rouge. Le poêle ronronnait aussi. La chaleur lui parvenait par vagues. C'était surtout bon quand elle collait son front à la vitre froide et que le feu réchauffait son dos.

Dehors, malgré le printemps, l'air était frais. Toutes les couleurs étaient des couleurs froides. L'horizon avait reculé. On voyait beaucoup plus loin, mais c'étaient toujours des prés pareils, découpés en rectangles égaux par les canaux d'argent et par les peupliers.

Le petit garçon était toujours là, à six cents mètres à peine près du canal où il passait des bateaux cinq ou six fois par jour. Edmée n'en avait jamais parlé à personne, pas même à Jef ou à Fred. Elle ne savait pas ce que les gens avaient pensé, mais elle entendait encore le rire de plus en plus nerveux du gosse qui, à la fin, surmontait sa peur pour répéter :

— *Neen !... Neen !...*

Elle n'avait plus de fièvre. Elle ne parvenait plus à

s'exalter. Maintenant, c'était tout le contraire et peut-être Mia avait-elle dit le mot juste : de la langueur.

Elle ne mangeait pas, exprès ! Elle se nourrissait de bouillon de poule et de biscuits. Quand elle marchait, elle sentait sa faiblesse et cela lui faisait plaisir. Elle ne voulait pas guérir ! Elle ne voulait plus s'asseoir avec les autres devant la table de la cuisine !

Elle avait son coin à elle, tout imprégné d'elle, entre ces quatre murs, avec cette fenêtre qui lui donnait en propre un grand pan d'espace. Quant à la maison, elle la sentait vivre minute par minute. Elle entendait tous les bruits, même des bruits qui eussent échappé à d'autres. Elle connaissait leur signification. Quand Jef se levait une heure plus tôt que d'habitude, elle savait qu'on était mercredi et qu'il allait cuire le pain. Quand Fred remuait ses brosses et ses flacons, c'est qu'il partait à Hasselt ou à Bruxelles d'où il lui apporterait quelque chose, des bonbons ou un objet, comme le miroir cerclé d'écaille qu'elle gardait sous son oreiller.

Le docteur n'y comprenait rien, parlait d'une radiographie qui fixerait ses idées, mais Edmée ne voulait pas être radiographiée. Il lui répétait à chaque visite :

— Faites un effort pour descendre, ne fût-ce qu'une heure !

Elle ne voulait pas descendre non plus, ni faire d'effort ! Elle voulait rester malade dans son coin !

Elle avait sa fenêtre, son paysage, sa boîte en carton pleine de choses à elle et les murs, les meubles, les moindres objets qui s'étaient imprégnés d'elle.

Son corps était plus maigre. Elle n'avait pas de hanches, mais chaque jour il lui semblait que ses seins étaient plus ronds et surtout qu'ils vivaient davantage. Alors, voluptueusement, elle se repliait sur elle-même, elle pensait, elle faisait passer sur sa rétine des images secrètes jusqu'à ce que Mia, lourde et bruyante, vînt demander si son nouveau chapeau allait bien ou si elle n'avait pas mis trop de poudre.

Au bout de cela, il y eut un mot magique que semblaient appeler le paysage acide, le murmure de l'eau des rigoles, le frémissement des peupliers et certaines moiteurs qui parfois, à midi, invitaient Edmée à ouvrir la fenêtre et à respirer profondément, son corps nu frissonnant sous la chemise de nuit : Pâques !

Les petites, qui n'allaient plus à l'école, jouaient dehors, accroupies dans l'herbe près d'un fourneau de vingt centimètres ou berçant une poupée. Les vaches ne rentraient plus, la nuit, et beuglaient dès le lever du soleil. Il y avait de tout petits points blancs dans les prés, et des pastilles jaunes : des pâquerettes et des boutons-d'or.

On travaillait aux vêtements d'été. Les petites ne seraient plus en noir, mais en blanc et noir, en demi-deuil. Mia voulait un manteau gris perle.

Le docteur ne venait que le samedi et passait surtout son temps en bas, à boire la goutte.

— Il me semble qu'elle pourrait sortir et que l'air lui ferait du bien...

Dolente, Edmée demandait qu'on fît du feu dans la chambre pour avoir dans son dos la chaleur pénétrante des intérieurs d'hiver et sur son front la vitre froide, devant ses yeux le paysage trop clair du printemps avec son herbe neuve, son feuillage indécis et ses ruisseaux qui couraient, argentés, après avoir passé là-bas sur...

Elle revoyait les deux cousins immobiles la nuit, les pieds dans la boue, pendant que l'eau s'en allait, et alors il lui semblait que toute cette eau du canal qui, d'embranchement en embranchement, de vanne en vanne, allait mourir en minces filets luisants dans les prés, était empoisonnée, car cette eau-là passait, limpide et bruissante, sur le petit garçon au béret rouge qui avait tant ri à force d'avoir peur.

9

Avec l'été, c'était la vie du dehors qui pénétrait la maison par tous ses pores. L'air de la plaine entrait par les fenêtres grandes ouvertes, sortait par les portes sans avoir eu le temps de s'imprégner des odeurs familières. C'est à peine si traînaient encore le matin des relents de sarrasin et de lard.

Les prés eux-mêmes étaient transfigurés. Quelques semaines plus tôt, on reconnaissait dans une petite tache tout à l'horizon le vélo du facteur, ou la silhouette d'un garde. Or, voilà qu'il y avait des gens partout, des inconnus venus de lointains villages pour faucher les foins.

C'est à peine si on fermait la nuit la porte du café car, dès quatre heures du matin, des hommes engourdis faisaient sonner leurs souliers ferrés sur les dalles et réclamaient à boire.

Il n'y avait plus de coin intime. Les gens entraient dans la cuisine et s'asseyaient pour bavarder avec la tante qui lavait la vaisselle. Mia servait les clients dans le café et c'était tous les jours, maintenant, qu'elle mettait de la poudre et du rouge.

Edmée rôdait en serrant son châle autour de ses épaules, malgré la chaleur. Elle ne pouvait plus garder la chambre, car elle n'était pas assez malade, mais elle pouvait tousser, regarder les gens et les choses avec un air douloureux. Tout le monde remarquait qu'elle était pâle et qu'elle avait sous les yeux deux profonds traits bleus.

Elle ne savait où se mettre. La hutte était utilisée. Les quatre journaliers qui ne faisaient que charger le foin s'y installaient à midi pour faire leur popote. Le soleil rapetissait l'horizon. On ne parlait plus d'atteler la carriole pour aller à Neroeteren. On sautait sur un vélo, ou on partait à pied. Le village n'était-il pas là-bas, tout de suite après le plus grand des bois de sapins ?

Edmée y allait parfois, à pas mous de convalescente. La maison du petit garçon était la première à droite sur la route de Maeseyck, une maison basse, sans étage, aux murs irréguliers percés seulement de deux fenêtres.

L'hiver, quand la porte était fermée, il devait faire tout noir. En passant, on ne voyait qu'un grouillement dans la pénombre, l'éclat de deux bassines en cuivre pendues au-dessus de la cheminée et un bébé aux fesses nues qui se traînait par terre.

Il y avait d'autres enfants, neuf ou dix, mais ils couraient les rues, sauf une fille qui était couturière.

Sûrement qu'on avait déjà oublié celui qui manquait. On l'avait cherché dans le grand canal, où l'on supposait qu'il était tombé en jouant. Puis on avait pensé que le corps avait pu être entraîné au loin par une péniche. Maintenant, avec l'été et la rentrée des foins, on n'y pensait plus.

Edmée allait d'habitude jusqu'à l'église par un joli chemin bordé de maisons flamandes. Elle passait d'abord devant la boulangerie qui lui envoyait une bouffée odorante et chaude, puis elle entendait le marteau du maréchal-ferrant.

— Tu l'as vu ? questionnait Mia, dès qu'elle rentrait.

Mia était amoureuse. Elle attendait le dimanche avec

impatience pour glisser un billet dans la main du fils Stevelynck, qui lui en remettait un en échange et, tant que durait la messe, elle était bouleversée.

Le fils Stevelynck était instituteur. Il venait d'être nommé à Anvers, mais il avait ses vacances. C'était un garçon gauche et timide. De temps en temps, il venait jusqu'à la maison, en vélo, ses pantalons serrés aux chevilles par des pinces. Chaque fois, il prenait le même air innocent pour dire qu'il faisait chaud et qu'il avait soif.

Dès qu'elle le voyait au loin, Mia abandonnait tout pour courir dans sa chambre et elle en redescendait le visage plaqué de poudre, des traces de savon aux oreilles.

— Il s'habille mal, disait Edmée. On sent que c'est un paysan.

Alors elles se disputaient, se boudaient pendant quelques heures.

Fred et Jef étaient toujours dehors. Partout, il y avait des ouvriers à surveiller, sans compter les chargements à faire à la gare de Neroeteren. Ils s'y perdaient un peu. On sentait que quelque chose n'allait pas.

Deux fois, par exemple, il y eut des erreurs dans les expéditions. Une autre fois, un journalier se cassa la jambe en tombant d'une charrette et on s'aperçut qu'il n'était pas sur les polices d'assurance.

Dans ces cas-là, on voyait arriver l'oncle Louis, qui s'installait dans le bureau avec Fred. Lorsque ensuite on ouvrait la porte, on suffoquait tant il y avait de fumée. Fred était penaud. L'oncle marchait à grands pas et, de plus en plus, il avait l'air d'être le vrai maître de la maison. Il s'arrêtait en passant devant Edmée, lui levait la tête d'une pression sur le menton, l'observait d'un œil critique.

— Pas mieux ?

— Je tousse toujours.

Il grognait. Dans la cuisine, il furetait comme un propriétaire qui rentre de voyage et la tante en avait peur.

C'est lui encore qui passa un doigt sur la joue poudrée de Mia et dit un mot en flamand, un seul, qui suffit à faire affluer le sang aux pommettes de la cousine.

Il n'était pas content. Même quand il regardait les prés parsemés de travailleurs, il fronçait les sourcils, tiraillait ses moustaches grises.

— Qu'est-ce que c'est, cela ?

Il désignait au loin un camion automobile que deux hommes chargeaient.

— J'ai un cheval malade, répliquait Fred. Pour la commande Pesson, j'ai loué un camion à Neroeteren.

— Soixante francs par jour ?

— Cent !

L'oncle soupirait, rentrait au bureau pour donner de nouvelles instructions. Ce qui n'allait pas ? C'était tout et rien ! Edmée voyait bien que Fred faisait son possible. Quant à Jef, qui travaillait plus que deux hommes, il était debout avant le jour et prenait l'habitude d'emporter des tartines, si bien qu'on ne le voyait pas à midi.

L'année était mauvaise. Il avait trop plu ; une partie des foins était avariée.

Mais ça, c'était déjà arrivé. Ce qui n'était jamais arrivé, c'était toute cette série de petits incidents malheureux, comme la jambe cassée de l'homme qui n'était pas assuré, la maladie d'un cheval au moment de rentrer les foins et l'erreur inexplicable qui avait envoyé un wagon à Mons au lieu de Gand. C'étaient de plus petites choses encore, des choses ridicules, mais qui suffisaient pourtant pour que tout le monde, sauf Mia, fût découragé.

Il n'y avait aucun entrain, aucun allant. Fred giflait

les petites parce qu'en jouant elles se jetaient dans ses jambes et la tante ne disait rien, devenait encore plus terne, plus effacée, comme si elle eût voulu donner moins de prise au mauvais sort.

Il y eut une grande discussion, un jour d'août, entre Fred et l'oncle Louis. Ils étaient tous les deux dans le bureau. De la cuisine, on percevait un murmure de voix. Puis le ton s'éleva, tandis qu'une chaise bougeait.

La tante continuait à faire son ménage, mais Edmée voyait qu'elle écoutait. On n'entendait que certains mots flamands. C'était Fred qui parlait avec véhémence et soudain la porte s'ouvrit. Personne ne vint dans la cuisine. On entendit seulement l'auto de l'oncle qui démarrait.

On en parla pendant des heures, car Fred avait fait chercher son frère dans les prés. Il était surexcité, menaçait de s'en aller et affirmait qu'il ne serait pas en peine de gagner sa vie, qu'il n'était plus un petit garçon et qu'il n'avait pas à recevoir, comme un écolier, les remontrances d'un parent.

La tante l'écoutait en battant des cils. Edmée écoutait aussi et Fred, rien que pour elle, traduisait la plupart de ses phrases, ou bien mêlait du français à son flamand. Jef, juché sur un tabouret, regardait par terre en balançant sa grosse tête et en maniant machinalement un bout de bois.

— Je lui ai dit que si nous avons des difficultés ce ne sont pas des difficultés nouvelles. Seulement, père nous les cachait. C'est lui qui a pris des hypothèques, à notre insu, et qui a signé pour quatre-vingt mille francs de billets à ordre. Je voudrais voir comment il s'en tirerait s'il était encore ici ! Est-ce que j'en peux, moi, s'il avait une maîtresse ?

Fred ne pouvait plus se contenir. Sa peau était tendue. De temps en temps, il bégayait tant les mots se pressaient dans sa gorge.

C'était la première fois qu'on évoquait ainsi le père. Dans le café, Mia servait à boire et on entendait le heurt des verres. Sans rien dire, la tante alla s'asseoir au coin de la cheminée sans feu et, la tête dans son tablier, pleura doucement, en silence, avec de courts mouvements d'épaules.

Du coup, Jef se leva, cria quelque chose et Fred se dressa à son tour, regarda durement son frère. Ils étaient prêts à se battre. Jef se tenait près de sa mère, comme un défenseur. Fred cherchait une aide, un appui, mais son regard ne rencontra que les yeux fuyants d'Edmée.

Alors, pendant le silence qui préludait à la bataille des deux garçons aux poings serrés, on entendit les plaintes de la tante qui geignait dans son tablier. On vit changer le visage de Jef, ce visage mal taillé dans une matière trop dure et qui pourtant, bouleversé, fondait en une expression de pitié enfantine. En même temps sa patte se posait sur la maigre épaule de sa mère. Il semblait vouloir la bercer et il disait sans s'en rendre compte :

— Là !... là !... là !... Mama !... Là !...

La fenêtre était ouverte et l'air sentait le foin coupé. Dehors, il y avait des chants de coqs et d'oiseaux, le hennissement d'un cheval, le lourd vacarme d'une charrette sur le chemin pierreux.

Fred regardait par terre à son tour, la chair moins ferme, les yeux vagues.

Il n'y avait qu'Edmée à rester froide en observant chacun tour à tour. Pour leur rappeler qu'elle existait, qu'il y avait autre chose au monde que leurs petites affaires, elle toussa, à en perdre haleine, fit mine de chercher des traces de sang dans son mouchoir.

Une heure plus tard, la tante, les yeux rouges, brossait le meilleur veston de Fred qui s'habillait, le regard sombre et les épaules rondes.

On avait absolument besoin de l'oncle Louis pour payer les ouvriers le lendemain. Fred allait lui faire des excuses.

Quand il descendit, la chemise craquante, les cheveux lisses, sa mère l'aida à passer son veston et lui sourit, d'un sourire triste qui le plaignait et qui l'encourageait. Dans la cour, Jef était occupé à réparer une brouette.

Les oies sauvages passèrent un mois plus tôt que d'habitude et à la Toussaint, dans la maison refermée, tout le monde se serrait dans la chaleur des feux.

Les filles avaient reçu un nouveau manteau, y compris Edmée, mais elle ne voulut pas le mettre parce que la vieille couturière de Neroeteren lui avait taillé des épaules trop larges et mis les poches trop bas.

Au cimetière, on s'arrêta dix fois, car on rencontrait des gens à qui il fallait parler. Il y avait des cousins, des oncles, des tantes qu'Edmée ne connaissait pas. Ils étaient tous en noir et on errait dans l'odeur âcre des chrysanthèmes et d'affreuses fleurs d'un jaune gluant.

Les hommes parlaient à peu près comme d'habitude, mais les femmes avaient des mines désolées et, dès qu'elles s'apercevaient de loin, surtout les vieilles, égrenaient des chapelets de lamentations.

Edmée, trop légèrement vêtue, toussa pour de bon, sans avoir besoin d'exagérer ses quintes. On parla d'elle en flamand. Les vieilles femmes la regardaient en hochant la tête avec pitié comme si elle était déjà presque morte. L'une d'elles, une arrière-cousine, donna un bonbon à chaque enfant mais, pour marquer l'intérêt qu'elle prenait à la malade, elle lui en remit deux.

Fred suivit les hommes au café, tandis qu'on se réunissait dans une maison où régnait une odeur de pauvre. Edmée avait les pommettes pourpres. Soudain elle revécut, sans doute à cause de la similitude d'atmosphère, son arrivée à Neroeteren, par le vicinal, la mort de l'oncle, l'enterrement, les heures brûlantes dans la hutte et le premier écureuil.

Est-ce que, dès son arrivée, elle n'avait pas senti une menace dans l'air ? Aujourd'hui encore, elle était oppressée et en cherchait en vain la raison. L'instituteur Stevelynck avait eu un congé de deux jours et Mia était quelque part avec lui, dans la rue balayée par la bise froide qui rendait les pierres plus blanches. On n'en avait jamais parlé sérieusement, mais on savait et on laissait faire.

Edmée n'était pas jalouse. Au contraire ! Elle regardait avec curiosité sa cousine qui se transformait et qui parfois, quand elle était animée, était presque jolie. Mais elle était bête ! Elle avait une idée fausse des hommes, de la vie, de tout ! Depuis un mois, elle chantait la même chanson parce qu'elle avait entendu son amoureux la fredonner et Edmée, qui l'entendait à travers toute la maison, la trouvait ridicule. Elle avait commandé des parfums à des adresses données par les journaux et elle pensait déjà aux vêtements qu'elle se ferait faire quand elle ne serait plus en deuil, cherchait des modèles dans une laide revue de modes à laquelle elle s'était abonnée.

L'instituteur savait-il qu'elle avait une jambe couverte d'eczéma inguérissable ? Ils devaient être contre un arbre, tous les deux, au bord d'un chemin, à causer en riant.

Edmée n'avait pas envie d'un amoureux. Ils étaient tous ridicules. Elle n'admettait surtout pas qu'un homme ait un jour le droit de la dominer.

On rentra à la nuit tombante. Comme Edmée l'avait prévu, Mia fondait de bonheur et dans la carriole lui prit la main pour la serrer avec insistance comme si c'eût été celle de son instituteur.

On devait passer à deux cents mètres de la prise d'eau et Fred fit un effort pour ne pas regarder de ce côté. Edmée ne voulait pas regarder non plus. Ils revenaient du cimetière où, sur toutes les tombes, des gens étaient venus déposer des fleurs. Or, l'eau, ce jour-là, plissée menu par la bise, était d'un lugubre gris glauque.

Sans le vouloir, au moment précis où on passait devant l'écluse, Edmée la regarda, les yeux secs, mais le regard fixe de Fred, malgré lui, en fit autant.

Leurs regards se croisèrent ensuite. Fred était ému. Elle le sentait bouleversé, rongé par la pensée du petit bonhomme dont personne, sauf eux trois, ne connaissait la tombe.

On mangea du jambon et du pain, car on n'avait pas eu le temps de cuisiner. Le lendemain, qui était encore un jour férié, l'oncle Louis vint et observa Edmée avec plus d'attention que de coutume.

— Toi, je viendrai te chercher demain ! Tiens-toi prête de bonne heure.

Et elle partit toute seule, le lendemain, dans l'auto de l'oncle, qui fit le voyage jusqu'à Hasselt sans parler. On alla chez un médecin qu'il connaissait et qui examina Edmée avec bienveillance.

— Déshabillez-vous, mon petit ! Tout au moins la poitrine.

Edmée regardait l'oncle Louis, qui comprit et haussa les épaules.

— Allons ! Est-ce que je ne sais pas comment est faite une petite fille ?

Les hommes parlaient entre eux, en flamand, et Edmée hésitait à dénuder son torse. Jamais encore cela ne lui était arrivé. Un an plus tôt, cela lui eût été moins pénible, mais ses seins avaient poussé et il lui semblait que c'était la dernière chose du monde qu'elle fût capable de montrer.

Elle garda sa chemise qui, dans le cabinet de consultation, était d'un blanc cru, avec une étroite dentelle. Le docteur aux cheveux presque roux s'approcha sans la regarder, fit glisser la bretelle d'un geste indifférent.

— Respirez !... Toussez !... Respirez !...

Cela lui faisait mal de sentir ses seins à l'air libre, plus mal encore quand la main du médecin, en lui saisissant le torse, les toucha par inadvertance. L'oncle Louis, pour la mettre à l'aise, feignait de regarder un chromo qui représentait une chasse à courre.

— Respirez !... Plus lentement !...

Elle suffoquait, sentait que sa robe glissait le long de ses hanches trop étroites et qu'on allait voir son ventre, son nombril.

— Venez par ici. Je préfère vous passer à la radiographie.

L'oncle Louis resta dans le cabinet. Le médecin, aidé par un jeune homme à lunettes, dont la présence ne gênait pas du tout Edmée, manœuvra un impressionnant appareil.

— Je vous remercie.

Désormais, elle savait ! Elle n'avait pas besoin d'attendre la réponse que le docteur promettait de donner dans les trois jours. Elle avait entendu parler de points humides. Elle n'ignorait pas que sa mère était morte de tuberculose.

D'ailleurs, l'oncle lui-même changeait d'attitude. Il dîna avec elle dans un restaurant et fut si gentil qu'il était aisé de deviner ce que le médecin lui avait dit au moment de partir.

Il ne cessait pas de l'observer. Il n'avait pas le regard aigu, au contraire ! C'était plutôt lourd, comme toute sa personne, mais Edmée sentait quand même qu'il comprenait beaucoup de choses.

— Je crois qu'il faudra te soigner sérieusement. L'air de Neroeteren est pur. Est-ce que tu t'ennuies chez tes cousins ?

— Non.

— Fred est un peu hurluberlu. Jef a l'air d'un gros singe, mais c'est le meilleur cœur que je connaisse.

Il lui parlait comme à une grande personne, faisait des confidences et lui passait les plats pour qu'elle se servît la première.

— Quant à ma sœur (il ne disait pas ta tante), c'est une sainte. Elle a eu de grands chagrins, que je ne peux pas te raconter.

— Je les connais. Mon oncle avait une maîtresse.

Ne pouvait-elle pas tout entendre ?

— Ce n'est pas seulement cela. Il faut être très gentille avec elle. Les affaires ne sont pas aussi brillantes qu'elles paraissent. Il y a des difficultés à surmonter et je ne sais pas si tes cousins...

Il se tut. Peut-être ne savait-il pas lui-même pourquoi il avait tant parlé ? Il était soucieux. Au restaurant, tout le monde le connaissait. Le patron vint lui serrer la main. Les garçons lui parlaient avec respect.

Mia n'avait-elle pas été longtemps amoureuse de lui ? Edmée aurait aimé voyager longtemps de la sorte, avec un homme aussi solide, qui savait commander et devant qui les gens s'inclinaient.

— Je suppose que tu prendras un dessert ?

— Et vous ?

— Jamais. Mon dessert, c'est un cigare.

— Je n'en veux pas non plus.

Car elle n'était pas une petite fille avide de sucreries ! Elle voulait se montrer à sa hauteur.

— Un fruit ?

— Merci.

Elle se voyait dans une glace brumeuse et se trouvait l'air d'une femme. Elle n'avait pas mis le manteau confectionné à Neroeteren, mais son manteau à elle, son manteau de Bruxelles, et l'oncle l'avait approuvée. Donc, il sentait la différence !

— Tu es heureuse ?

— Tout le monde est gentil pour moi.

Il était un peu ému, peut-être davantage depuis qu'il avait vu sa poitrine nue, et il détournait souvent la tête.

— Ce n'est pas la même vie que dans une grande ville, mais on s'habitue. Jadis, c'était la plus belle propriété du Limbourg et si un homme voulait la relever...

Il était marié. Sa femme était déjà vieille, très grasse, avec des cheveux tout blancs. L'amenait-il à Hasselt aussi ? Edmée en devenait jalouse.

— Ils sont dans une mauvaise passe. Fred, qui se décourage vite, parle de tout lâcher, de vendre...

Quand Edmée rentra à Neroeteren, dans la voiture de l'oncle, elle ne raconta son voyage à personne. C'était à elle ! C'était son secret ! Un seul homme avait vu sa poitrine et, devant la glace, elle se demanda si ses seins n'étaient pas trop petits !

Elle avait un corps blanc, des côtes qu'on pouvait compter avec le doigt, un ventre étroit et bombé.

« Seulement, je suis tuberculeuse ! »

Elle en ressentait quelque fierté. Elle n'était pas triste. Mia, par exemple, n'était pas capable d'être tuberculeuse, et pourtant sa chair drue était malsaine, comme celle de son père, qui était mort d'une simple blessure.

L'oncle Louis revint deux jours plus tard. Edmée le surprit comme il montrait à Fred une photographie étrange où l'on voyait des côtes et, entre elles, des choses floues, noires et grises : c'était sa radiographie.

Edmée avait deux points d'infection, marqués par des flèches dessinées en rouge.

— Ce n'est rien ! dit l'oncle Louis en lui tapotant l'épaule. Six mois de soins et il n'y paraîtra plus. Quand on est jeune...

Et Fred la regarda avec une admiration émue.

10

C'était la quatrième fois qu'Edmée accompagnait l'oncle Louis chez le docteur de Hasselt, puis qu'elle déjeunait à l'*Hôtel Wouters*, dans la salle à manger au toit de verre dépoli où fréquentaient surtout des prêtres.

L'oncle Louis connaissait tout le monde. Le patron accourait au-devant de lui et la patronne avait la manie de donner une tape affectueuse sur la joue d'Edmée en minaudant avec un fort accent flamand :

— Et cette chère petite ? Est-elle guérie ?

Car chacun était au courant. La radiographie avait passé de main en main. Un vieux curé insistait pour qu'Edmée fût conduite à Lourdes.

Ce jour-là, l'oncle Louis avait des affaires à traiter en ville et, le déjeuner achevé, il installa Edmée dans le salon de l'hôtel, promit d'être de retour deux heures plus tard. Dehors, il faisait très froid. Dès le début de décembre, il avait commencé à geler et la veille on avait vu des gens de Neroeteren patiner sur les canaux.

Le salon était chauffé par un poêle de faïence. Sur la table, il n'y avait que des revues religieuses. Edmée, qui avait trop chaud, se glissa dans la rue et marcha le long d'un trottoir. Elle avait déjà remarqué le matin que la ville n'avait pas sa physionomie normale. Malgré le froid, il y avait plus de passants, plus de voitures. Les vitrines étaient décorées. On préparait Noël.

Il y avait surtout, devant les étalages, des mères et des enfants. Edmée s'arrêtait aussi. C'était la première fois depuis longtemps qu'elle était seule dans une vraie ville et tout l'intéressait ; elle se retournait pour regarder quelqu'un, lisait le titre des livres à la vitrine des libraires, ou encore elle regardait les fenêtres d'une maison en se disant que derrière ces fenêtres des êtres vivaient.

Elle s'étonnait de voir tant de gens bien habillés, tant d'enfants avec de petits manteaux de fourrure et des gants de peau. Elle aimait entendre derrière elle la sonnerie énervante du tramway, puis le voir passer au ras du trottoir, éclairé comme une lanterne.

Les pavés étaient durs, d'un blanc froid. Des marchands avaient mis de la fausse neige dans leur vitrine où des boules cuivrées et violettes pendaient aux arbres de Noël.

Edmée vit devant elle la gare et le kiosque où, la première fois, elle avait pris le vicinal pour Neroeteren. Elle tourna à droite, prit une rue où il n'y avait plus de magasins, mais seulement des maisons sombres.

Depuis la veille, Fred était à Hasselt et Edmée savait où elle le trouverait, car Mia le lui avait dit. Il passait des heures entières dans un petit café à l'enseigne de *Chez Julie* et ce café était situé derrière la gare.

Edmée ne le cherchait pas avec la volonté avouée d'y aller, mais elle regardait les maisons, lisait les écriteaux. Elle fit ainsi le tour d'un pâté d'immeubles, par des rues désertes, avant de remarquer une façade jaune, peinte en faux bois, avec des rideaux au crochet à la fenêtre.

C'était là ! Le nom était écrit sur la vitre, en lettres blanches ornées d'un paraphe, comme une signature : *Chez Julie*. Sans réfléchir, elle tourna le bouton de la porte, poussa celle-ci, qu'un courant d'air referma derrière elle.

La salle vide était longue et rien ne rompait la monotonie de deux rangs de tables en pitchpin ciré sinon, tout au bout, près du comptoir, le dos d'un homme assis, penché sur une femme qu'on ne faisait que deviner, car son compagnon la cachait.

C'était Fred. Edmée reconnaissait son veston de serge noire et son cou charnu. Il ne se retournait pas. Un bras passé derrière les épaules de la femme, il parlait, en flamand, d'une voix grasse.

Ce fut sa compagne qui se pencha pour voir qui était entré. Elle avait des cheveux d'un blond ardent, une chair rose. Elle regarda Edmée avec étonnement et l'interpella en patois. Fred, à son tour, se retourna, se leva d'un bond, renversa un verre, fit quelques pas avec l'air de vouloir barrer le passage à sa cousine.

Edmée était calme. Jamais elle n'avait vu à Fred un teint aussi animé, des yeux si gros, si brillants. Il lui sembla même qu'il ne marchait pas droit.

— Bonjour, Fred ! Je te dérange ?

— Que fais-tu ici ? Qui t'a dit... ?

De l'arrière-boutique, une vieille femme obèse passa la tête pour voir ce qui troublait la vie de la maison.

— Je voudrais me chauffer.

Edmée était glacée, en effet, mais elle voulait surtout continuer à regarder. Fred, qui ne revenait pas de son ahurissement, la laissait faire et elle s'assit à la même table que la femme qui, après avoir ramassé les morceaux de verre, reprenait sa place.

C'était un drôle de café, une drôle de femme ! Tout était curieux et Edmée, qui avait lu certains livres, n'arrivait pas à comprendre.

— Tu bois quelque chose, mademoiselle ? demanda la blonde.

Edmée désigna les petits verres.

— Qu'est-ce que c'est, Fred ?

— Du cherry.

— Je veux la même chose.

Et elle suivit des yeux la serveuse qui se dirigeait vers le comptoir. Elle était grande et grasse, mais agréable à regarder, appétissante à la façon de quelque chose qui se mange. Sa peau était claire, parfumée, sans un défaut, sans une tache, d'un rose qui, aux endroits les plus charnus, se pommelait de blanc. La robe était en soie, comme les bas noirs qu'accompagnaient des souliers vernis tout neufs qui craquaient à chaque pas.

Lorsque la femme se pencha pour remplir le verre d'Edmée, celle-ci vit dans l'entrebâillement du corsage les seins en entier, des seins larges et épais, mais avec de tout petits bouts.

— Où est l'oncle Louis ?

— Il m'a laissée à l'hôtel pendant qu'il allait faire des courses. J'ai encore le temps.

La voix de Fred était non seulement maussade, mais pâteuse.

— Pour moi aussi ! dit-il en désignant les verres.

— Et tu m'en paies un autre ? fit la femme qui avait un fort accent flamand.

L'air était lourd et Edmée, assise sur la banquette, se sentait pénétrée d'une sensation de bien-être et de confort. Tout était de mauvais goût, les rideaux au crochet, les tables en pitchpin trop clair, le lustre en pâte de verre rose. Partout il y avait des ornements sans style et pourtant, dans la tiédeur d'un poêle beaucoup plus grand et plus luxueux que celui de l'*Hôtel Wouters*, il faisait bon laisser errer son regard sur le plancher couvert de sciure de bois où ne traînait pas un bout d'allumette et où les pieds des chaises et des tables s'alignaient rigoureusement.

Cela ne ressemblait à aucun des établissements

qu'Edmée connaissait par les livres. Ce n'était pas non plus une maison de prostitution. Il n'y avait rien de honteux, rien de caché. Le lustre, par exemple, était le lustre même auquel toutes les petites gens de Hasselt devaient rêver.

Certainement que Fred poussait la porte avec un soupir de soulagement quand il arrivait de Neroeteren, où les lampes à pétrole diffusaient une lumière triste. On le connaissait ! On l'accueillait avec autant de joie et de déférence que l'oncle Louis chez *Wouters* !

Il buvait, assis à côté de la femme qu'il taquinait, et elle riait en montrant des dents trop petites. Il lui donnait des tapes sur les bras, qui étaient charnus et frais, se penchait pendant que, de temps en temps, la vieille venait jeter un coup d'œil par la porte du fond.

Et il payait des consommations ! Il avait un portefeuille gonflé de billets, une voix gonflée de joie de vivre !

— Maintenant que tu es réchauffée, tu devrais retourner à l'hôtel.

Il n'était pas entièrement dégrisé, elle le sentait, mais il faisait un effort pour être sévère et pour parler net.

— J'ai le temps.

Le cherry réchauffait la poitrine d'Edmée. Elle se tourna vers la femme.

— Donnez-m'en encore un !

Fred voulut protester, mais sa compagne se récria :

— Cela n'a jamais fait de mal à personne ! Trois cherry ?

Elle devait être d'humeur égale, toujours prête à rire sans rire tout à fait et à proposer des consommations. Quand on voyait son visage de près, on remarquait de fines rides et on sentait à mille riens qu'elle était née à la campagne, qu'elle avait fait des kilomètres, petite fille, en caban, les pieds dans des sabots, pour aller à l'école.

— Donne-moi une cigarette, Fred.

Elle n'avait pas le droit de quitter le café avant onze heures et c'est alors seulement que Fred l'accompagnait dans sa chambre, au deuxième étage d'une maison ouvrière, dans une ruelle.

Ce n'est pas exactement à cela que pensait Edmée, mais elle les regardait tous les deux avec une curiosité sexuelle. Elle oubliait l'heure, voulait rester encore un peu. Comme la femme croisait les jambes, elle regarda les bas de soie, le genou douillet, la naissance des cuisses, puis elle fixa ses jambes à elle, maigres, longues, vêtues de laine, ses souliers à lacets dont les talons commençaient à tourner.

L'autre questionnait Fred en flamand et il n'était pas difficile de deviner qu'elle parlait d'Edmée, avec une pointe de méfiance ou de jalousie. Mais Edmée, elle, n'était pas jalouse. Au contraire ! Quelque chose l'attirait, et chez cette femme, et dans l'ambiance du café, peut-être ce qu'elle sentait de sourd et de chaud sous ces calmes apparences.

— Tu devrais partir ! insista Fred qui regardait sans cesse l'horloge, puis la porte. Et surtout ne dis pas à l'oncle que tu es venue ici !

— Je suis tellement bête ! répliqua-t-elle, pincée.

La tête lui tournait, comme dans la hutte quand elle fixait le feu trop longtemps. Il y avait, en outre, le parfum de la femme qui suffisait à créer une ambiance et l'odeur du cherry s'y insinuait, plus lourde, un peu amère.

— Je vais avec toi.

— Je ne veux pas ! D'ailleurs, l'oncle serait encore plus étonné.

Fred laissait peser sur elle un regard honteux et suppliant. Il avait peur ! Elle s'en délectait. Elle se souvenait de sa pose quand elle était entrée, et de sa voix heureuse. C'est lui qui commanda :

— Encore un cherry, Rose !

Elle s'appelait Rose. Julie, c'était sans doute la patronne obèse, qu'on entendait remuer dans la cuisine en parlant à ses chats. On entendait aussi des gens passer sur le trottoir et, rarement, le grondement d'une auto.

— Tu es allée chez le docteur ? Qu'est-ce qu'il a dit ?

— Il n'a rien dit.

Elle était heureuse, sans savoir pourquoi, elle le tenait sous son regard. Rose remplit son verre après celui de Fred. Edmée le vida doucement, en laissant la liqueur un instant sur sa langue qui piquait.

C'est à ce moment que la porte s'ouvrit. On vit grandir comme dans un rêve la silhouette de l'oncle Louis et sa main saisit le bras d'Edmée, souleva littéralement celle-ci qui vacilla quand elle fut debout.

Il devait déjà savoir. Quelqu'un, sans doute, avait vu entrer la jeune fille et l'avait prévenu.

Il ne dit rien mais, après avoir poussé Edmée vers la porte, il revint vers Fred qui s'était levé gauchement et le gifla par deux fois. Jamais Edmée n'avait imaginé que des gifles pussent résonner de la sorte, emplir de leur bruit tout un café. Elle en reçut un choc physique, aperçut vaguement Fred qui restait immobile, une main sur la joue gauche.

Mais déjà elle était à nouveau dans le froid de la rue. L'oncle la poussait, la soutenait, ouvrait d'une main la portière de sa voiture et de l'autre installait Edmée à l'intérieur.

Il était beaucoup plus grand, beaucoup plus fort que Fred. Cela n'avait jamais été aussi flagrant. Blottie dans son coin tandis que l'auto roulait, sortait de la ville, courait après le rayon argenté de ses phares,

Edmée essayait de se souvenir des moindres détails, de l'étonnement de Rose, des bas de soie noire, des souliers vernis, du goût du cherry, de la sortie de l'oncle.

— Ce n'est pas lui, dit-elle soudain d'une voix haute.

L'oncle Louis ne répondit pas. Il regardait droit devant lui. C'était impressionnant, surtout pendant cette course dans l'obscurité, car il conduisait plus vite que d'habitude.

Edmée toussa pour l'obliger à s'occuper d'elle, mais il n'y prit pas garde. A la seconde quinte, seulement, il s'assura d'un geste de la main que les vitres étaient bien fermées.

La tante plumait un poulet et Mia repassait des chemises d'homme sur la table de la cuisine quand on entra, l'oncle Louis faisant passer Edmée devant lui. La tante flaira un drame avant même de lever la tête, car il y avait dans cette arrivée quelque chose de trop catégorique.

L'oncle ne retira ni son manteau, ni son chapeau. Il ne s'assit pas, prononça une dizaine de phrases en flamand et la tante joignit les mains sur son poulet, Mia oublia son fer chaud.

C'était fini ! Il était déjà parti ! L'auto s'éloignait. La tante restait immobile, écrasée par la nouvelle, et Mia regardait sa cousine avec curiosité.

— Jésus, Maria !

Et la tante pleurait enfin, tout à trac ; et les petites filles qu'Edmée n'avait pas vues parce qu'elles étaient assises par terre se précipitaient vers ses genoux en pleurant à leur tour.

— Je suis sûre qu'il ne reviendra plus, soupira Mia en remettant son fer au feu. Je connais Fred !

Edmée, qui ne s'était pas déshabillée, les regarda froidement, surtout la tante qui ne lui avait jamais été aussi étrangère. Elle n'avait pas envie de s'asseoir dans la cuisine et d'écouter ces lamentations.

— Où vas-tu ?

— Dans ma chambre.

— Il n'y a pas de feu. Attends ! Qu'est-ce que tu sais ? L'oncle dit douze mille francs. C'est énorme...

— Quels douze mille francs ?

Mia s'expliqua et Edmée comprit l'attitude de l'oncle Louis à son égard. Il était allé à la banque pour éclaircir certaines questions troublantes. En qualité de tuteur des enfants mineurs, il avait examiné les comptes de Fred.

Or, les chiffres étaient falsifiés. Par trois fois, Fred avait pris quatre mille francs pour son compte personnel en les attribuant à des opérations déficitaires.

Edmée était sans doute la seule à comprendre, à imaginer Fred qui fuyait la maison une fois par semaine et qui pénétrait en coup de vent chez Julie, où il passait des heures, dans son coin, à boire avec la Rose. Il était riche ! Il payait ! D'autres clients arrivaient, peut-être d'autres femmes, et c'était lui, le gros propriétaire de Neroeteren, qui payait toujours !

Il parlait fort. On l'écoutait ! On l'admirait ! Sans doute jouait-on aux cartes pour lui prendre plus d'argent !

— Il est trop fier : je suis sûre qu'il ne reviendra plus ! geignait Mia qui se prenait à son tour la tête dans son tablier.

La carriole entra dans la cour, mais il se passa dix bonnes minutes avant que Jef eût dételé. Edmée avait retiré son manteau et hésitait à monter. Jef regarda sa mère, sa sœur, sa cousine, avec étonnement. Il apportait avec lui du froid du dehors et ses lèvres étaient raidies.

C'est Mia qui lui apprit la nouvelle, en s'interrompant pour se moucher. Elle le fit en flamand. Jef ne broncha pas, regarda Edmée avec calme.

Quand ce fut fini, il repoussa la couverture à repasser, prit un bol dans l'armoire, l'emplit de soupe et mangea sans rien dire.

Cela dura trois jours. L'oncle Louis arrivait le matin, en costume de chasse, s'enfermait dans le bureau d'où il ne sortait que pour réclamer une tasse de café. De temps en temps aussi, il appelait Jef qui restait un moment avec lui et regagnait ensuite l'étable ou l'atelier.

Les canaux étaient gelés et près de l'écluse une péniche était immobilisée pour plusieurs semaines.

La tante ne pleurait plus, mais elle vieillissait à vue d'œil. Cela se marquait par l'affaissement des épaules. On eût dit qu'elle devenait plus étroite.

Mia était triste, mais cela se traduisait autrement. Par exemple, elle fouillait les tiroirs de Fred et faisait des découvertes. C'est ainsi qu'elle montra à Edmée un briquet tout en or qui était caché sous les chemises et que son frère n'avait jamais laissé voir à personne.

L'oncle Louis mangeait avec la famille. Il évitait de parler à Edmée, mais elle sentait qu'il la regardait avec bienveillance et même avec pitié, comme si elle eût été la principale victime.

S'attendait-on au retour de Fred ? Mia n'y croyait pas. La tante ne disait rien et Jef allait d'un bâtiment à l'autre en balançant sa grosse tête.

Le deuxième jour, l'oncle amena un petit homme maigre qui était le comptable de sa maison de cigares et qui l'aida à étudier les comptes.

L'oncle Louis avait encore grandi. Quand il entrait dans la cuisine, tout le monde se taisait peureusement et essayait de lire quelque chose dans son regard, car il ne disait rien. Il fumait beaucoup, à grosses bouffées.

La maison entière était saturée de l'odeur de ses cigares.

Il avait toujours trop chaud. Au déjeuner, il lui arrivait de commander à Mia d'ouvrir la porte et les autres grelottaient sans oser le laisser voir.

Le soir du troisième jour, on était à table quand on entendit le roulement d'une voiture. La même curiosité se peignit sur tous les visages, sauf sur celui de l'oncle Louis qui continua à manger sa soupe en relevant ses moustaches.

La porte extérieure s'ouvrit. La tante fit mine de se lever, se souleva un instant de son siège, mais se laissa retomber comme si c'eût été un geste défendu.

Fred entrait. Il s'arrêta un instant au seuil et Edmée était seule avec Mia à le voir en face. Les autres évitaient de se retourner. Les moustaches de l'oncle frémissaient ; sa main continuait à manier la cuiller.

Contrairement à ce que l'on aurait pu attendre, Fred n'était pas abattu, ni crotté comme un malheureux qui rentre au bercail.

Il était calme, plus grave que d'habitude. Son pardessus était propre et il retira lentement des gants neufs. Quand il eut posé son manteau sur une chaise, il fit le tour de la table, se pencha pour embrasser sa mère sur la joue, simplement, comme il le faisait chaque fois qu'il rentrait. La tante était livide et sa lèvre inférieure se soulevait pour retenir un sanglot.

L'oncle leva la tête, laissa peser sur Fred un regard interrogateur et Fred ne broncha pas, ouvrit l'armoire, prit une assiette, un couvert, s'assit à sa place, face à sa mère.

Il évitait de regarder Edmée. Ses mâchoires étaient serrées par l'effort. Quand il se fut servi de soupe, il se tourna à demi vers Jef et dit en français :

— Tu mettras mon auto dans le hangar.

Mia sursauta, car Fred n'avait jamais eu d'auto.

L'oncle repoussa sa chaise, se leva et laissa tomber sa serviette par terre car, quand il était là, on mettait nappe et serviettes.

Il fit le tour de la table pour rejoindre la tante, l'embrassa au front et dit une phrase en flamand. Il s'efforçait d'être aussi calme que Fred, mais il était déjà un peu moins grand que les autres jours et il se heurta au chambranle de la porte.

Il avait dit à la tante :

— Demain, je viendrai avec mon avocat.

Fred mangea sa soupe sans parler, les traits tirés. Il était fatigué. Peut-être n'avait-il pas dormi pendant ces trois jours ?

On tendait l'oreille. On entendit s'éloigner la voiture de l'oncle et alors la tante se leva, se précipita vers son fils, se jeta dans ses bras en sanglotant, en disant des mots qu'Edmée ne pouvait comprendre.

Elle ne voyait qu'un œil de Fred, un œil qui la regardait avec une inquiétude teintée d'orgueil, comme s'il n'eût fait tout cela que pour elle.

11

Edmée, en culotte, les cheveux sur le visage, avait dû casser une mince couche de glace dans son broc et hésitait à se passer sur les joues la serviette mouillée dont le seul contact lui donnait l'onglée.

C'était le dimanche précédant le nouvel an. Il était tôt. Une bougie éclairait la chambre et les vitres givrées étaient blanches comme du lait. Parfois on entendait du bruit derrière les murs : quelqu'un qui, comme Edmée, s'habillait pour la messe. Mais elle avait si froid, c'était autour d'elle une telle carapace d'atmosphère glacée qu'elle ne parvenait pas à se presser.

Sans qu'on eût entendu marcher dans le corridor, la porte s'ouvrit et Mia entra, déjà en manteau, un col de fourrure relevé sur le menton, les mains dans un épais manchon.

— Tu te laves ?

Elle s'était contentée, elle, de mettre de la poudre et du rouge et sans doute, comme cela lui arrivait souvent, avait-elle dormi sans retirer ses bas. Elle regardait les cuisses nues d'Edmée, qui étaient veinées de bleu.

— Dépêche-toi ! Tu as la chair de poule.

Mais elle avait autre chose à dire. Elle était venue avec une idée précise et, comme Edmée achevait d'essuyer son visage, elle questionna sans la regarder en face :

— C'est vrai que tu veux épouser Fred ?

— Moi ?

Edmée en oublia de s'habiller. Elle resta là, la peau tendue par l'eau froide, à regarder sa cousine en essayant de comprendre.

— Pourquoi pas ? poursuivait Mia. Tu ne serais pas la première !

Mais déjà Edmée la saisissait par sa fourrure et s'écriait d'une voix aigre :

— Qui t'a dit cela ? Dis-moi qui t'a raconté cela !

— Chut !

Quelqu'un bougeait dans la chambre d'à côté.

— Je vais te le dire. C'est Jef ! Mais fais attention, car il ne faut pas qu'il s'en doute...

Nerveuse, Edmée mit sa combinaison, s'acharna de ses doigts trop froids sur les agrafes de la jupe.

— Hier, nous étions seuls. Je lui ai demandé pourquoi il était si étrange depuis quelque temps, à peu près depuis que tu vas chaque semaine à Hasselt...

Edmée tressaillit, faillit rougir, car c'était vrai qu'il y avait quelque chose de changé depuis qu'elle allait chez le médecin avec l'oncle Louis. Mais qui avait pu le remarquer ? La seule différence, c'est qu'au lieu de vivre tout le temps dans une même atmosphère, de se traîner de la cuisine à la hutte, elle avait désormais une diversion : l'auto qui filait entre les arbres, l'*Hôtel Wouters*, le cabinet du docteur, les rues avec leurs vitrines éclairées et les tramways sonnaillants...

— Qu'est-ce qu'il a répondu ? questionna-t-elle durement en mettant enfin son manteau.

— Il n'a rien répondu. Il est resté longtemps sans parler. Puis il m'a dit que, si tu épousais Fred, il te tuerait. Viens vite ! Je crois que maman est déjà en bas. Surtout n'aie l'air de rien.

Dans la carriole, Edmée ne faisait qu'y penser. Elle était assise à côté de Jef, qui conduisait. L'eau des ornières était gelée, la terre dure comme du métal. On ne parlait pas, à cause du froid. On se serrait les uns contre les autres et les regards erraient sur les étendues glacées.

Pourquoi Jef avait-il parlé à Mia ? Et comment avait-il deviné qu'il y avait quelque chose de changé alors qu'Edmée elle-même ne s'en était pas aperçue ? Il regardait droit devant lui, tenait les rênes dans une seule main gonflée par un gant de tricot.

N'en était-il pas exactement ainsi tous les dimanches d'hiver ? Non ! Ce n'était pas la même chose, bien qu'il n'y eût rien d'exceptionnel. Les autres fois, on ne parlait pas davantage mais, quand par exemple on passait près du deuxième bois de sapins, Edmée pensait à un écureuil qu'on y avait tué et qui était le plus gros de la collection. Bien que Jef ne dît rien, elle savait qu'il y pensait aussi.

Près du champ de glace, elle se souvenait du traîneau vert, de Fred qui invitait la fille aux gros seins et de toute la famille rentrant à pied parce qu'elle et Jef avaient pris la voiture.

Elle allait plus rarement dans la hutte et, comme par hasard, c'était toujours quand son cousin n'y était pas. Elle ne le faisait pas exprès. Elle n'aurait pu dire comment cela s'arrangeait. Il lui eût même été difficile de dire ce que Jef avait fait pendant les deux derniers mois. Elle ne le voyait presque jamais. Elle savait qu'il était dehors, à travailler avec les ouvriers ou avec les gardes, et c'était tout.

Mais pourquoi avait-il parlé de Fred ?

Elle y pensa pendant la messe, puis encore au retour. Elle y pensa en se chauffant les mains au-dessus du feu et en mangeant ensuite les galettes de sarrasin au lard. Elle était furieuse et surexcitée. Quand Fred descendit, sans faux col, Mia lui lança une œillade complice et Edmée trouva sa cousine ridicule.

Ce dimanche-là, Fred n'alla pas à la messe, ni au café, n'acheva même pas de s'habiller et resta en pantoufles jusqu'au soir. Des heures durant, près de la cheminée, il y eut le murmure d'une monotone discussion en flamand.

Dès le début, Jef était parti, comme s'il eût été de trop. Mia, qui préparait le dîner, prononçait de temps en temps une phrase. La tante habillait les petites en répondant à Fred d'une voix plaintive. Elle avait reçu une longue lettre de l'oncle Louis. En qualité de subrogé tuteur des enfants, sauf de Fred qui était majeur, il annonçait à sa sœur qu'il allait demander que Fred fût mis sous conseil judiciaire.

— Il n'est que second tuteur, répliquait celui-ci. La tutrice légale, c'est toi !

Mais la tante n'y comprenait rien, s'effrayait à la seule évocation d'un juge de paix. L'oncle Louis lui écrivait, en outre, qu'il avait mis toute la famille au courant et saisi son avocat de l'affaire.

Fred fumait en regardant les casseroles qui laissaient gicler de la vapeur. Les jambes sur le couvercle rabattu du four, il se balançait sur les deux pieds arrière de sa chaise.

— On verra bien !

Il ne s'occupait pas d'Edmée et Mia était seule à traduire parfois une phrase en français.

— L'auto m'a coûté cinq mille francs et j'irai désormais à Hasselt plus vite, à meilleur compte.

La tante ne le contrariait pas, ne lui faisait aucun reproche, mais deux fois elle alla chercher, dans le tiroir de la table, la lettre de l'oncle et, mettant ses lunettes, en lut une phrase qui contenait un nouveau grief.

— N'a-t-il pas une auto, lui ?

La glace fondait lentement sur les vitres. Edmée observait le visage de Fred qui n'était déjà plus aussi mâle qu'à son retour de Hasselt. La chaleur du feu y était pour quelque chose car, par sa faute, il avait le nez rouge, les yeux bridés et brillants. Apaisé, il ne crânait pas. C'était, entre sa mère et lui, une consultation comme on en a entre époux.

— Que fera-t-on mercredi ? questionna Mia en français.

C'était le nouvel an. Depuis toujours, en somme, toute la famille, même un frère qui habitait près de Maestricht, en Hollande, se réunissait chez l'oncle Louis qui était l'aîné. Fred haussa les épaules.

— Cela regarde ta mère.

On en discuta pendant une heure. Pour Fred, il n'était pas question d'y aller. D'ailleurs, de toute façon, il devait se passer désormais de l'aide de l'oncle Louis, à qui le plus sage était de rendre au plus tôt l'argent emprunté à plusieurs reprises. Cet argent, il fallait le trouver et c'est à quoi Fred pensait en regardant monter la vapeur des casseroles.

— Je crois que nous devons y aller, soupira Mia qui rechargeait le poêle.

La tante était du même avis. Tout le monde irait, sauf Fred, non pas tant à cause de l'oncle Louis que par principe, pour le reste de la famille et pour les gens.

— Moi, je n'irai pas ! annonça Edmée qui n'avait rien dit et que Fred semblait avoir oubliée.

Il la regarda curieusement.

— Pourquoi ?

— Parce que je n'aime pas cet homme-là !

Les pommettes rouges, elle hésita, ajouta en regardant ailleurs :

— C'est un sale type ! Chez le docteur, il reste exprès quand je me déshabille et il essaie de me voir.

Ses tempes battaient. Elle avait conscience de poser un acte d'une importance considérable. Or, contre son attente, Fred détourna la tête, reprit sa pose première et c'est tout juste s'il ne haussa pas les épaules.

Le lendemain, on reçut une nouvelle lettre de l'oncle, qui invitait sa sœur à dîner avec les enfants pour le mercredi mais qui spécifiait qu'il n'était pas question de recevoir la visite de Fred.

... à moins, ajoutait-il, *qu'il ne soit décidé à faire amende honorable et à donner des gages de sa bonne conduite future...*

La tante pleura sur la lettre. Fred la jeta au feu. Le même jour, on eut la visite d'un prêtre, un cousin éloigné, qui était curé dans un petit village proche de Maeseyck. Il attendit d'être seul avec la tante pour parler et longtemps on entendit le murmure de sa voix qui ressemblait à un sermon entendu de la place de l'église.

Edmée employait ce temps-là à observer Jef et s'avisait que jamais elle ne l'avait bien regardé, qu'en réalité il était beaucoup plus extraordinaire qu'il paraissait à ses familiers. Sa tête était si grosse qu'il ne trouvait pas de casquettes toutes faites chez les chapeliers. Sous le front saillant, les yeux étaient enfoncés et il y avait comme une fosse à la base du nez.

Il ne la regardait pas ou, s'il la regardait, c'était quand elle ne pouvait pas le voir et il se désintéressait de tout ce qui se racontait à mi-voix au sujet de l'oncle Louis.

C'était un peu effrayant, aussi effrayant que de se trouver en tête-à-tête avec une bête dont on ignore les réflexes et dans les yeux de laquelle on est incapable de lire.

Pourquoi avait-il fait des confidences à Mia et pourquoi avait-il parlé de Fred alors qu'il savait très bien qu'Edmée l'avait repoussé ?

Il était huit heures, le 1er janvier, quand Edmée, qui ne devait pas partir, descendit, embrassa tout le monde en répétant du bout des lèvres :

— Bonne année !

On avait fait des gaufres, par habitude, et l'odeur de la maison, ce matin-là, était celle des gaufres sucrées que les enfants trempaient dans leur café.

— Bonne année, Jef !

Il reçut le baiser d'Edmée près de l'oreille et grommela quelque chose.

— Bonne année, Fred !

Elle insista, y mit une intention.

— ...et la fin de tes tracas !

La tante l'embrassa, mais c'était un baiser distrait. S'était-elle, après plus d'un an, habituée à considérer Edmée comme un membre de la famille ?

On s'habilla, sauf Fred qui s'enferma dans le bureau où il avait fait lui-même du feu. Jef attela le cheval. Mia dut monter deux fois parce que la tante avait oublié ses gants noirs, puis parce qu'Alice n'avait pas de mouchoir.

Enfin la carriole s'éloigna et Edmée resta seule dans la cuisine.

La famille était partie à neuf heures. A dix heures et demie Edmée était toujours assise, toute seule, au coin du feu et elle se leva soudain, crispée, monta dans sa chambre et changea de robe. Le matin, elle en avait mis une qu'on lui avait commandée à Neroeteren et qui lui donnait des formes aussi indécises que celles de Mia. Elle choisit cette fois sa vieille robe noire, celle de Bruxelles, toute mince à force d'usure, un peu courte, qui la serrait depuis les épaules jusqu'aux hanches.

Edmée était très animée et il lui arriva de prononcer à mi-voix des paroles indistinctes. Quand elle descendit, le feu était presque éteint et, comme elle avait froid, elle prit la peine de le charger.

Elle savait que la carriole, qui avançait cahin-caha sur la route, avait dépassé Neroeteren. Chacun, à l'intérieur, devait être roide de froid et d'émotion dans l'attente de la réception de l'oncle.

Edmée regarda l'heure, s'engagea dans le couloir dallé, s'arrêta devant la porte du bureau. Mais là, au lieu d'entrer, elle se pencha pour regarder par la serrure.

Fred était assis devant un monceau de papiers auquel il ne prêtait aucune attention. Il fumait sa pipe à petites bouffées et regardait droit devant lui, durement. C'était la serrure qu'il semblait fixer, au point qu'un moment Edmée crut qu'il avait deviné sa présence.

Mais non ! Il saisit une feuille à en-tête, la lut pour la rejeter aussitôt avec humeur. Puis il en prit une autre et se passa la main dans les cheveux. A cause du cosmétique, ses cheveux gardaient le pli qu'on leur donnait et maintenant ils restaient dressés sur la tête, en travers.

Pendant une heure, Edmée fut d'une activité fébrile. Quand elle revint à la porte du bureau, elle avait peine à contenir un sourire de triomphe. Elle frappa, parce que c'était une habitude pour tout le monde, même pour la tante, de frapper avant d'entrer dans cette pièce. Fred poussa un grognement et la regarda avec des yeux brouillés qui essayaient de revenir aux réalités.

— Qu'est-ce qu'il y a ?

— Viens manger, Fred.

— Tout à l'heure.

— Non. Tout à l'heure, ce sera froid.

Il la suivit sans conviction, s'arrêta un instant au seuil de la cuisine, car il y avait une nappe, des serviettes, deux couverts bien dressés. Il s'assit gauchement.

— Mia m'a dit qu'il y avait du lard et des œufs dans le placard, murmura-t-il.

Or, elle lui servit du veau froid à la mayonnaise, une omelette au jambon et une crème renversée comme jamais personne n'en avait fait à Neroeteren.

Devant lui, Edmée était froide, sévère. Elle le servait en exagérant la politesse de ses manières et il s'étonna.

— C'est toi qui as fait ça ?

— Qui serait-ce ?

Elle se leva pour prendre un plat dans le four, le passa à Fred, non comme la tante ou comme Mia, mais comme une maîtresse de maison qui reçoit.

— Maintenant, si tu veux, dit-elle, nous irons nous promener une heure.

Cinq minutes plus tard, ils s'habillaient, chacun dans sa chambre, et Edmée cria :

— Mets ton bonnet de fourrure !

C'était un ancien bonnet en loutre comme certains paysans hollandais en portent encore pendant l'hiver.

Fred ferma la porte de la maison à clef. D'abord, ils marchèrent tous les deux en silence sur la route gelée et autour d'eux il n'y avait pas de bruit, pas de vent, pas de mouvement. Comme les prés étaient couverts de neige durcie, on pouvait croire qu'on errait dans un paysage lunaire.

— Il fait froid ! dit Edmée en atteignant le premier bois.

Il la regarda avec hésitation, balbutia :

— Veux-tu me donner le bras ?

Elle accepta. Quatre ou cinq fois, elle fit de petits pas vifs comme des pas de danse pour accorder sa marche avec celle de son cousin.

— Tout le village doit être à patiner.

Il ne se trompait pas. Dix minutes plus tard, ils virent les terrains irrigués dont l'eau était gelée et des nuées de petites silhouettes noires qui volaient aussi vite que des mouches.

— Seulement, cette fois, nous n'avons pas le traîneau, dit Edmée avec intention.

Elle lui tenait le bras et elle sentit un mouvement de gêne.

— Veux-tu que j'aille le chercher ?

— Non ! Marchons.

Elle avait froid au visage, aux mains et aux jambes, mais très chaud au corps. Fred était plus grand qu'elle et elle marchait sur la pointe des pieds.

— C'est vrai, ce que tu as dit l'autre jour de l'oncle Louis ?

— Qu'est-ce que j'ai dit ?

— Qu'il te regarde quand, chez le docteur, tu te déshabilles...

— C'est vrai ! Mais il n'a rien vu, car je m'arrange pour lui tourner le dos.

Elle s'en voulut d'être si gentille.

— Le docteur a vu, lui !

— Quoi ?

— Tout !

Elle avait envie de rire, mais le rire n'arrivait pas à ses lèvres. Quand on s'approcha du champ de patinage, elle n'abandonna pas le bras de Fred, bien qu'elle vît le chandail jaune de la fille du boulanger.

Ils marchaient vite, tous les deux. Le bonnet de loutre de Fred lui donnait l'air d'être le seigneur du pays. Ils parcoururent le terrain gelé comme des gens qui viennent voir les jeux du peuple sans daigner s'y mêler.

Il y avait chez Edmée une gaieté intérieure qui se traduisait par une sorte de bondissement du cœur, mais cela s'arrêtait à la surface et elle était aussi pâle, aussi indifférente en apparence que d'habitude.

Trois hectares de terrain étaient recouverts de glace.

Or, chaque hectare de pré était séparé des autres par une rigole assez profonde, large d'un mètre environ. C'était visible. La glace qui, sur l'herbe, était d'un blanc laiteux, avait au-dessus des rigoles des reflets noirâtres.

Fred et Edmée marchaient avec précaution, car ils n'avaient pas de patins. Deux fois Edmée faillit tomber et se retint au bras de son cousin.

— Tu veux aller plus loin ?

— Je veux aller jusqu'au bout.

Des garçons tournaient autour d'eux à toute vitesse, en exécutant des figures difficiles pour éblouir Edmée. La fille du boulanger, au contraire, patinait à distance sans quitter Fred des yeux, espérant peut-être qu'il viendrait à elle.

Edmée savourait son triomphe. Elle regardait le bois voisin où elle savait que son cousin avait emmené la grosse fille. Elle devinait : ils avaient tous les deux le nez, les mains et les jambes froides ; ils haletaient après la course et Fred avait pétri sa compagne, l'avait renversée sur un tas de bois, ou sur la neige, n'importe où, n'importe comment, comme il avait essayé de renverser Edmée ! L'autre avait bêlé de joie ! Elle avait laissé découvrir dans la bise ses cuisses larges, d'un rose animal, qui avaient eu la chair de poule.

Un quart d'heure, avait dit Mia. A peine !

Fred s'arrêta un instant, comme s'il eût rencontré un obstacle. Il voulut ensuite entraîner sa cousine, mais Edmée eut l'intuition qu'il s'était passé quelque chose d'important et elle questionna :

— Qu'as-tu ?

— Rien !

Edmée s'assura que la boulangère était hors de vue, regarda derrière elle, ne vit rien d'anormal.

— Qu'est-ce qu'il y a, Fred ?

Le visage bouleversé, il répéta :

— Viens !

Enfin Edmée eut l'idée d'observer le sol glacé. Ils venaient de franchir une rigole d'un gris glauque. Des enfants passaient en file indienne sur leurs patins de bois, car la glace était plus lisse qu'ailleurs.

Or, parmi les jambes, on distinguait une tache rouge et Edmée lâcha soudain le bras de son cousin, fit trois pas en arrière.

C'était sous dix centimètres de glace au moins qu'il y avait du rouge. En regardant de près, on reconnaissait la forme d'un bonnet et même, comme grossis à la loupe par la glace, de rudes points de tricot.

Quand Edmée rejoignit Fred, elle avait si froid que ses épaules se serraient. Elle ne lui prit pas le bras et il feignit de ne pas le remarquer.

— Rentrons ! dit-elle.

Et tantôt elle marchait vite, tantôt elle ralentissait l'allure sans savoir pourquoi. La brise était faible mais, quand on l'avait en face, elle coupait la peau du visage.

Ils franchirent sans un mot les trois kilomètres qui les séparaient de la maison. Fred chercha la clef dans ses poches, ouvrit enfin et Edmée se précipita dans la cuisine, retira le couvercle du poêle pour se chauffer les mains et le visage.

— Veux-tu une gorgée d'alcool ?

Elle ne répondit pas. Sans quitter son pardessus, ni son bonnet de loutre, il alla prendre le cruchon de genièvre dans le salon, en emplit deux verres.

La table n'avait pas été desservie et il restait de l'omelette sur un plat. Les vitres étaient blanches. Les flammes du foyer éclairaient en rouge l'intérieur de la pièce.

Edmée vida son verre d'un trait et fut un bon moment à se remettre de la brûlure créée dans sa gorge et dans sa poitrine. Fred hésitait à s'approcher du feu, ne se débarrassait toujours pas de son bonnet, ni de son manteau.

— Edmée !

— Oui... dit-elle sans détourner la tête.

En même temps, les deux mains à plat au-dessus des flammes, elle croyait voir courir le sang dans ses artères.

— Tu m'écoutes ?

— Oui...

Elle était angoissée, bien qu'elle devinât mot pour mot ce qu'il allait dire. Une seconde, elle évoqua la grosse tête de Jef, puis l'apparition de Mia, l'autre matin, dans sa chambre.

— Si je m'installais dans une ville, à Bruxelles ou à Anvers, accepterais-tu de m'épouser ?

Elle ne répondit pas. Elle se chauffait toujours, regardait avidement ses mains qui semblaient transparentes.

— Tu ne veux pas ?

— Et les Irrigations ?

— On les vendra et je connais quelqu'un qui ne se fera pas faute d'acheter...

— L'oncle Louis ?

— Oui.

— Et Jef, Mia, et les autres ?

— Ils auront assez d'argent pour faire quelque chose.

— Je réfléchirai.

Elle enleva son manteau, s'assit pour retirer ses chaussures et mit ses pieds dans le four.

— Je veux rester seule.

Fred s'en alla. Elle l'entendit qui s'installait dans le bureau. Elle savait que le feu y était éteint depuis longtemps, mais il y resta quand même.

Vers six heures, la carriole s'arrêta devant la porte.

Mia et les deux petites se précipitèrent vers le poêle, car elles étaient bleues de froid.

— Où est Fred ?

— Dans le bureau.

— Il n'a pas mangé ?

Mais au même instant Mia apercevait la table dressée, regardait Edmée et réprimait mal un sourire.

— Que veux-tu dire ? questionna celle-ci, agressive.

— Rien !

La tante entrait à son tour, éreintée, les traits burinés, la démarche lasse, avec cet air pitoyable des animaux habitués à être bien traités et qui viennent soudain d'être battus. Il n'était pas difficile de deviner ce qui s'était passé. Toute la famille, ses frères, ses belles-sœurs, les cousins, tout le monde s'était acharné, sinon sur elle, du moins sur Fred, et il avait été question de jugement, d'avocats, d'avoués, de saisie. La tante ne tenait plus debout et elle se laissa tomber sur une chaise sans même retirer ses gants.

— Fred ? questionna-t-elle.

Mia lui répondit en flamand. La tante regarda Edmée comme elle l'avait toujours regardée, avec une curiosité qui voulait être bienveillante, mais qui ne faisait que vouloir. Au fond, il y avait surtout en elle la méfiance d'une femelle pour une femelle d'une autre race.

Quant à Jef, il dételait le cheval qu'il conduisait à l'écurie. En rentrant, il prit dans ses doigts ce qui restait d'omelette froide sur le plat et l'enfourna dans sa grande bouche, non par gourmandise, mais par faim, ce qui ne l'empêcha pas de regarder la table dressée avec le même étonnement que sa sœur.

C'est Mia qui alla frapper à la porte du bureau, pas tout de suite, mais seulement quand, avec du petit-lait, des légumes et des pommes de terre cuites de la veille, on eut fait un brouet brûlant. Fred s'assit à sa place.

La nappe avait disparu. Les assiettes étaient posées à même le bois de la table. Edmée avait dit :

— Je n'ai pas faim.

Et elle restait devant le poêle, ses pieds déchaussés dans le four. Fred posa une question en flamand. Mia répondit d'un air pincé et Edmée traduisit d'instinct les répliques.

— Qu'ont-ils dit ?

— Qu'on allait faire un procès !

Alors, languide comme une malade, s'efforçant de tousser du plus profond de la poitrine, Edmée appela :

— Fred !

Tout le monde se tourna vers elle et les cuillers restèrent en suspens.

— J'écoute.

— Eh bien ! c'est oui.

La cuiller de Jef fut la première à se remettre en train. Mia prononça d'une voix fausse :

— Il faut que je monte.

Les petites n'y comprenaient rien, regardaient les grands tour à tour. Quant à la tante, elle avait penché la tête sur son assiette et elle mangeait sans savoir ce qu'elle mangeait. Elle était pâle, retenait sa respiration. Fred maniait sa cuiller à grand bruit.

Dominant le tout, il y avait le ronron régulier du feu et le vacarme d'une bouilloire dont le couvercle était soulevé par la vapeur.

A droite, plus blanches que jamais, les vitres givrées des deux fenêtres.

Dehors, du blanc figé partout, du blanc scintillant comme la lune, avec seulement les traits noirs des peupliers et quelque part, sous la glace, la tache rouge d'un béret d'enfant.

12

Le gros et jovial juge d'instruction Coosemans eut la chance, en sortant du palais avec son greffier, de rencontrer le docteur Van Zuylen qui apportait un rapport.

— En voiture, Van Zuylen ! lui lança-t-il en le poussant dans un taxi. Il paraît qu'il y a du travail et le procureur est parti en avant avec son auto.

Anvers était noyé dans une pluie fine d'octobre qui rendait le pavé glissant. Devant la Gare Centrale, on perdit du temps dans un embarras de voitures, car le train de Paris venait d'arriver, puis on pénétra dans un quartier calme, sans magasins, où les rues étaient larges et où les maisons à deux étages se ressemblaient toutes. Il y avait un rassemblement, malgré la pluie, devant celle qui portait le numéro 73. Au même moment, une auto particulière s'arrêtait au bord du trottoir, venant en sens inverse, et le juge Coosemans eut un rire heureux, car c'était le procureur qui arrivait seulement, bien qu'il fût parti cinq minutes en avance. Il est vrai qu'il conduisait lui-même et qu'il était myope.

Deux agents maintenaient l'ordre. Il n'y avait guère sur le trottoir que des voisins, surtout des femmes que l'événement avait arrachées à leur ménage et qui avaient tout juste pris le temps d'emporter un parapluie. Quand les gens apprirent que c'était le Parquet qui arrivait et qu'on vit le commissaire se précipiter avec empressement vers le procureur, un silence solennel régna.

Comme les autres, la maison avait deux étages. Le rez-de-chaussée était en pierre de taille et le reste en briques fraîchement rejointoyées. Dès le corridor, on sentait que seul un drame avait pu troubler une harmonie faite d'ordre et de propreté, mettre des traces de pas et même des filets d'eau sur les carreaux du corridor qu'ornait un porte-parapluies en faïence bleue.

Le juge Coosemans renifla.

— Ça sent fameusement la médecine !

Mais le procureur mit dédaigneusement son doigt sur une plaque de cuivre appliquée à la porte de droite et qui annonçait : *Chirurgien-dentiste*.

Le dentiste lui-même, en blanc, et sa femme, qui n'était pas encore coiffée, se tenaient au bas de l'escalier.

— Je les ai questionnés. Ils ne savent rien, dit le commissaire du quartier. Comme vous le voyez, l'immeuble n'a pas de concierge. Aux heures de consultation, la porte n'est pas fermée à clef et n'importe qui peut pénétrer dans la maison.

A mesure qu'on approchait de l'escalier, l'odeur de linoléum se mêlait à celle du cabinet dentaire. Les murs étaient peints en faux marbre.

— C'est plus haut ?

Les quatre hommes montaient en file indienne et quatre mains glissaient l'une derrière l'autre sur la rampe.

— La vieille dame que vous allez voir au premier est la propriétaire. Si vous lui parlez, parlez fort, monsieur le procureur, car elle est sourde comme un pot.

Elle se tenait sur le palier et peut-être n'était-elle pas si sourde que cela, car elle lança au commissaire un regard méprisant. Elle portait une robe noire ornée de jais, des mitaines et des souliers à large boucle d'argent comme ceux des ecclésiastiques.

— Vous savez quelque chose, madame ?

On entendait de légers bruits au deuxième étage, mais le procureur s'attardait, hochait la tête, interrompait de temps en temps la vieille pour faire au greffier un signe qui voulait dire :

— Surtout, prenez note ! Très intéressant, cela !

Et le greffier écrivit textuellement dans son calepin :

Époux Van Elst, locataires depuis huit mois et mariés à la même époque. Le mari est secrétaire dans Compagnie franco-belge de Navigation. Propriétaire prétend qu'elle entend quand on marche au-dessus de sa tête. Femme Van Elst se lève tard. Mauvaise ménagère. Presque pas de cuisine. Mangent froid ou vont au restaurant. Rentrent tard. Pas d'ami. Seulement visites du frère Van Elst qui n'essuie jamais ses pieds.

— Tout ceci est exact, commissaire ?

— C'est exact. C'est même grâce au dernier détail que nous tenons une piste sérieuse. Ce matin, un peu avant neuf heures, un homme est monté et est resté près d'une demi-heure là-haut. Madame dit qu'elle l'a peu entendu marcher. La femme Van Elst était encore couchée. Quand l'homme est parti, la propriétaire a essayé de le voir, mais elle n'a aperçu que son dos. Par contre, il y avait sur le linoléum de l'escalier des traces de pas qu'elle reconnaît, car deux fois elle a prié le même visiteur d'essuyer ses pieds.

— C'est le frère ?

— Justement.

Le procureur reprit son ascension, suivi par tous ces messieurs.

— Voulez-vous commencer par voir le corps ?

Il n'y avait que la porte de gauche à pousser. On

pénétrait ainsi dans une chambre à coucher banale comme on en voit aux étalages des grands magasins. Meubles et tapis étaient encore neufs.

C'est dans la glace de l'armoire que le procureur vit d'abord l'image d'un lit en désordre, d'un corps de femme presque nu, et il se tourna vers la réalité, retira ses lunettes, les remit, les retira encore pour essuyer les verres et se donner le temps de reprendre haleine.

Un édredon rose avait glissé sur la carpette. Un agent de police se tenait près de la fenêtre, ne sachant que faire, ni où regarder. Sur la table de nuit, un réveille-matin continuait à marcher. Par terre, il y avait des pantoufles usées et une combinaison.

— Qu'en dites-vous, docteur ?

Le visage de la morte était mince et les cheveux châtains répandus sur l'oreiller étaient très fins, soyeux, comme vivants. Le médecin commença par fermer les paupières et par s'assurer du bout de l'index de la rigidité du corps, puis il se tourna avec embarras vers ses compagnons, murmura :

— Évidemment, elle a été étranglée, mais...

Il haussa les épaules.

— Après tout, tant pis !

Et il se pencha sur le cadavre qui n'était vêtu que d'une chemise relevée sur le ventre. Le procureur détourna la tête. Le juge Coosemans en profita pour rallumer son cigare et le greffier demanda au commissaire :

— C'est cette dame qui s'appelle Van Elst ?

— Edmée Van Elst, dix-neuf ans, née à Bruxelles.

Le docteur dit en se redressant et en cherchant le cabinet de toilette :

— Il y a eu viol.

Il avait tiré le drap blanc sur le corps et sur le visage. On l'entendait qui, dans la pièce voisine, se savonnait les mains avec minutie. Comme le procureur allait sortir, le commissaire le retint.

— Voici ce qu'il y avait sur le lit.

D'abord quatre pierres violettes, qui semblaient avoir appartenu à un bijou ancien ; puis un coffret sculpté, avec la lettre *E* incrustée de métal ; enfin une loque, un morceau de tricot rouge.

— J'ai questionné le mari au sujet de ces objets.

— Pardon, de l'ordre, monsieur le commissaire. Qui a découvert le crime ?

— Le laitier, qui monte chaque matin à neuf heures et demie. Il a alerté toute la maison, on m'a téléphoné et avant même d'accourir sur les lieux je vous ai avisé.

— Où était le mari ?

— C'est le dentiste d'en bas qui lui a téléphoné à son bureau. Maintenant, il est dans la salle à manger. Il n'a jamais vu les pierres qui, entre nous, doivent être fausses, ni le coffret. Il n'a rien dit de cette loque.

On parlait plus fort depuis que le cadavre était voilé.

— Il ne dit rien d'autre ?

— Il a commencé par se promener à grands pas en criant. Puis il s'est jeté à genoux. Quand il s'est relevé, il a cassé cette chaise. Il est très fort, très sanguin. Il pleurait, hurlait. A certain moment, il s'est jeté la tête au mur et je l'ai fait conduire dans la salle à manger, où un de mes hommes le surveille.

Le procureur regarda autour de lui pour s'assurer qu'il n'avait rien oublié et, gagnant le palier, attendit que le commissaire ouvrît la troisième porte, car la seconde, qui était entrebâillée, était celle de la cuisine.

Par les fenêtres garnies de rideaux de tulle, on apercevait les fenêtres de la maison d'en face et des gens qui regardaient, l'un d'eux même, un vieux monsieur, avec des jumelles.

— Où est-il ?

L'agent désigna Fred Van Elst affaissé dans un coin,

contre le buffet, le menton sur la poitrine, les cheveux hirsutes, les bras ballants.

— Levez-vous, je vous prie.

Il ne fit que redresser la tête, montrant un visage bouffi, tuméfié, des yeux rouges, des paupières gonflées et, à la lèvre supérieure, une écorchure qui saignait.

— Qu'est-ce que c'est ? bégaya-t-il d'une voix si pâteuse que le commissaire dut se pencher pour entendre.

— Monsieur le procureur et monsieur le juge voudraient savoir...

Il redressa lentement son corps mou, les regarda l'un après l'autre avec hébétude et se passa la main sur le front. Le procureur était inquiet. Le commissaire regardait l'agent d'un air interrogateur.

— Qu'est-ce que c'est ? répétait Fred en s'accoudant si lourdement au buffet qu'il renversa une tasse.

L'agent désigna, par terre, près de la chaise, une bouteille de rhum qui était vide.

— Je voulais lui en donner un peu pour le remonter, car j'avais peur qu'il fasse des bêtises. Il a tout bu !

Et Fred, les coudes sur le buffet, les regardait comme s'il ne les eût pas vus, d'un regard trouble où passaient des éclairs de raison.

C'est par la vieille propriétaire, fidèle à son poste du palier, qu'on eut l'adresse du frère, Jef Van Elst, qui vivait dans la banlieue, à Berchem, avec sa mère et ses plus jeunes sœurs. Le procureur fit monter le médecin dans sa voiture, tandis que le juge Coosemans embarquait le commissaire de police dans son taxi.

— En somme, ça va tout seul ! conclut le juge. A part que le frère en question sera sans doute difficile à retrouver...

On suivait une longue rue commerçante où les gens

allaient et venaient, comme des fourmis, sur le pavé visqueux. M. Coosemans fumait doucement son cigare, qui remplissait le taxi de fumée bleue.

— Nous allons avoir le même hiver qu'il y a deux ans : du brouillard et de la pluie. Moi, j'aime mieux les grands froids comme l'an dernier.

Et les enseignes défilaient aux deux côtés de la voiture. On doublait les tramways, des autos de livraison, de lourds camions de brasseurs.

Après un carrefour, la rue devint large, moins bruyante, les maisons plus basses. La conduite intérieure du procureur s'arrêta devant un immeuble tout en longueur qui semblait bâti autour d'une vaste porte cochère.

La maison d'habitation était à gauche, avec de petites fenêtres garnies de rideaux crème et un pot de cuivre sur chaque appui. Une enseigne fraîchement peinte annonçait :

Fabrique de bonbons fins Van Elst

Déjà, dans la rue, on percevait une vague odeur sucrée. Ce fut le commissaire qui sonna et une fillette de huit ans ouvrit la porte, regarda tout ce monde avec crainte.

— Jef Van Elst est-il à la maison ?

— Il faut passer par l'autre porte.

Elle parlait le flamand du Limbourg, différent de celui d'Anvers. Ses cheveux blonds étaient tressés serré et ne formaient qu'une petite queue drue sur son tablier à carreaux roses.

— Je vais vous conduire.

Elle referma la porte, fit quelques pas sur le trottoir, dans la direction de la porte cochère.

— Il est sorti ce matin ? lui demanda le procureur en l'arrêtant un instant.

— Ce matin, oui !

On traversa le porche. Dans la cour, il y avait une camionnette qui portait la même raison sociale que la maison et l'odeur de glucose était plus accentuée. Les hommes qui suivaient la petite fille se lançaient des regards étonnés.

— Dis-moi, petite ! Ta mère est ici ?

— Vous la voyez à travers la fenêtre, ainsi que ma sœur Mia, qui vient nous aider parce qu'il faut livrer les commandes pour la Saint-Nicolas et Noël.

On les voyait en effet, dans une pièce basse où, face à la fenêtre, trois femmes assises devant de grandes tôles pleines de bonbons bleus et rouges prenaient ceux-ci un à un et les enveloppaient de papier transparent. La plus jeune se leva, ouvrit la porte et cria :

— Qu'est-ce que c'est, Alice ?

Elle était enceinte et ses traits étaient tirés, ses narines cernées de jaune.

— C'est pour Jef !

La plus âgée, derrière la vitre mouillée, continuait à plier ses papiers avec des mouvements réguliers, sans rien voir, peut-être sans penser. Elle avait un maigre visage résigné, des yeux incolores. Deux poules picoraient dans la cour.

— Par ici !

Et Alice les conduisait vers une cour plus petite où s'entassaient sous la pluie des barils de sucre de pomme de terre.

— Jef !

Elle poussa une porte et on vit les lueurs rouges d'un four ouvert.

— Jef !

Elle s'étonnait, s'inquiétait.

— Laissez-moi entrer le premier, dit le commissaire en la repoussant.

Et les hommes passèrent l'un après l'autre, laissèrent l'enfant dehors. Sur de longs marbres, il y avait de pleins plateaux de caramels et de bonbons qui attendaient d'être habillés de papier. A l'odeur de confiserie se mêlait une âcre odeur de brûlé.

Il fallait d'abord s'habituer au clair-obscur. Les flammes du four brûlaient les prunelles. Peu à peu on distingua les contours des choses et alors seulement on vit qu'un homme était là, les cheveux enfarinés, assis face au foyer, la tête entre les mains.

Il était vêtu d'un vieux pantalon retenu par une courroie et d'une camisole sans manches comme en portent les boulangers. Ses bras nus avaient des muscles ronds et saillants. Le procureur hésita à s'avancer. Quant au commissaire, il tira à tout hasard un revolver de sa poche.

— Jef Van Elst !... Au nom de la loi, je vous somme de vous rendre sans résistance...

Le dos oscilla, puis, lentement, l'homme se leva, balança une tête si grosse que, dans les lueurs du four, elle semblait inhumaine. Avec la même lenteur, il se retourna et l'on vit qu'il était calme, qu'il avait les yeux secs.

— Hérédo... souffla le médecin au juge Coosemans, qui n'entendit pas ou ne comprit pas.

Quant au procureur, il disait à la petite fille qui voulait entrer :

— Va jouer près de ta maman !

La voix du commissaire reprit :

— Jef Van Elst, au nom de la loi, je vous arrête pour assassinat et viol de votre belle-sœur, Edmée Van Elst, perpétrés ce matin au domicile de celle-ci, rue de Bruxelles.

Alors l'homme qu'ils avaient devant eux et dont le visage était du même gris terne que la farine se passa les deux mains sur les joues, sur les paupières et sur la nuque.

— Ah ! oui... soupira-t-il.

Et il se tourna vers le feu. Le commissaire crut qu'il avait son idée et bondit sur lui, le ceintura. Jef s'en débarrassa d'une secousse, resta à la même place, murmura :

— Ne faites pas tant de bruit ! Les petites pourraient entendre...

Il ajouta après un silence :

— Nous sortirons par la grande porte.

On eût dit que c'était le feu qui le retenait. Quand il regardait les visiteurs, il avait l'air d'un aveugle, tant il avait regardé les flammes.

— Jef Van Elst, prononça solennellement le procureur en faisant signe au greffier de se tenir prêt à enregistrer la réponse, pourquoi avez-vous tué votre belle-sœur ?

Le commissaire tenait les menottes prêtes. Une voix aiguë, celle de la sœur enceinte, appelait dans la cour :

— Alice !... Alice !...

Et Jef répliqua dans une hargnerie soudaine :

— Qu'est-ce que vous auriez fait, vous ?

Il sauta la nuit suivante d'une fenêtre de l'infirmerie de la prison, située au troisième étage, puis il fut encore six jours à mourir.

Composition réalisée par Nord Compo

IMPRIMÉ EN ESPAGNE PAR LIBERDUPLEX
BARCELONE
Dépôt légal Édit. : 30914-03/2003
LIBRAIRIE GÉNÉRALE FRANÇAISE - 43, quai de Grenelle - 75015 Paris
ISBN : 2 - 253 - 14300 - 6

31/4300/5